101 WORDSEA PUZZLES

Licensed exclusively to Imagine That Publishing Ltd
Tide Mill Way, Woodbridge, Suffolk, IP12 1AP, UK
www.imaginethat.com
Copyright © 2020 Imagine That Group Ltd
EU Authorised Representative, The Merrion Buildings – Iconic Offices,
18-20 Merrion Street, Dublin 2, D02 XH98, Ireland
All rights reserved
0 2 4 6 8 9 7 5 3 1
Manufactured in China

IMAGINE THAT™

1. FISHY TAILS

Go fishing! How many can you catch?

COCKLES   LOBSTER   SCAMPI
COD   MACKEREL   SKATE
CRAB   MUSSELS   SOLE
HADDOCK   OYSTERS   SQUID
HAKE   PRAWNS   TURBOT
HERRING   SALMON   WHELKS

T	P	Y	E	H	C	Z	S	Q	U	I	D		D
H	R	O	A	B	A	L	O	E	H	T	L
H	A	D	D	O	C	K	L	W	F	F	M
V	W	G	N	I	R	R	E	H	C	A	L
S	N	R	L	O	T	O	M	E	C	L	E
E	S	A	L	M	O	N	E	L	V	X	R
L	M	M	O	V	J	D	S	K	A	T	E
K	O	T	B	E	O	B	L	S	E	I	K
C	D	A	S	C	A	M	P	I	N	S	C
O	R	G	T	U	R	B	O	T	S	T	A
C	S	L	E	S	S	U	M	E	I	N	M
F	T	S	R	E	T	S	Y	O	R	B	D

2. PUDDING PUZZLE

There are plenty of puddings and pastries for you here!

CHEESECAKE   MERINGUE
CUSTARD   MOUSSE
FLAN   PIE   SORBET
GATEAU   RICE   SUNDAE
JELLY   SEMOLINA   TRIFLE

C	H	E	E	S	E	C	A	K	E	J	A
U	N	L	S	O	T	N	G	H	C	K	C
S	E	M	O	L	I	N	A	T	I	I	J
T	A	O	B	F	T	G	H	R	R	O	O
A	C	U	A	E	T	A	G	I	K	F	S
R	S	S	C	W	C	T	S	F	L	A	N
D	U	S	X	O	Z	P	O	L	A	O	L
E	N	E	I	E	C	E	R	E	E	G	Y
D	D	P	C	P	K	E	B	A	V	E	L
Z	A	P	P	Y	P	I	E	W	L	P	L
T	E	E	A	G	E	J	T	V	M	N	E
F	R	M	E	R	I	N	G	U	E	W	J

3. SUPERSTARS

Find the ten superstars hidden in the puzzle.

STARBURST   STARFLOWER   STARSHINE
STARDOM   STARGAZE   STARSHIP
STARDUST   STARLIGHT
STARFISH   STARRY

S	T	A	R	L	I	G	H	T	A	S	C
T	C	G	C	K	N	V	V	A	T	T	E
A	E	T	H	A	M	A	S	A	S	A	H
R	N	P	S	T	A	R	R	Y	T	R	A
B	I	A	T	O	T	F	Y	O	A	F	W
U	H	R	Z	I	I	P	Y	O	R	L	T
R	S	T	T	S	S	T	A	R	D	O	M
S	R	Y	H	A	R	V	E	S	U	W	O
T	A	P	R	O	V	I	S	T	S	E	R
P	T	O	P	L	A	N	S	G	T	R	N
C	S	T	A	R	S	H	I	P	E	D	E
D	A	T	E	E	Z	A	G	R	A	T	S

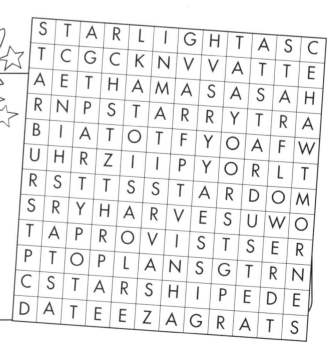

4. SPACE MISSION

Your mission is to find the words in this cosmic puzzle.

AURORA
COMET
COSMOS
GALAXY
JUPITER
MARS

MOON
NEPTUNE
ORBIT
PLANET
ROCKET
SATURN

STAR
SUN
TELESCOPE
UNIVERSE
URANUS
VENUS

A	J	A	M	P	O	T	C	O	M	E	T
S	U	N	A	U	R	T	I	N	O	M	E
A	P	E	R	O	C	K	E	T	O	D	L
T	I	S	S	R	P	U	C	K	N	E	E
S	T	A	R	B	L	A	U	T	G	H	S
R	E	T	B	I	A	S	O	M	S	O	C
G	R	U	M	T	N	H	U	S	B	N	O
A	B	R	K	E	E	N	M	A	R	V	P
L	U	N	E	P	T	U	N	E	R	E	E
A	U	R	O	R	A	S	E	V	Y	N	M
X	S	A	T	U	S	U	N	A	R	U	E
Y	T	U	R	U	N	I	V	E	R	S	E

5. MAGIC WORDSEARCH

These words are linked to Halloween and magic!

ABRACADABRA
BROOM
CAULDRON
CHARM
CLOAK
DISAPPEAR

HALLOWEEN
MAGIC
POTION
PUMPKIN
SPELLS
TRICK

VANISH
WAND
WARLOCK
WISH
WITCH
WIZARD

P	K	H	S	L	L	E	P	S	H	A	R
H	C	A	U	L	D	R	O	N	R	V	Y
S	I	L	W	I	S	H	T	P	P	A	Z
I	R	L	O	N	E	C	I	G	A	M	P
N	T	O	A	V	B	R	O	O	M	O	U
A	Z	W	S	C	E	Y	N	Z	T	E	M
V	U	E	W	W	A	R	L	O	C	K	P
C	R	E	T	I	I	N	C	L	O	A	K
W	E	N	S	T	W	Z	O	O	P	A	I
A	B	R	A	C	A	D	A	B	R	A	N
N	A	R	C	H	A	R	M	R	B	C	L
D	I	S	A	P	P	E	A	R	D	D	E

6. SCHOOL IS COOL!

Have fun playing this school word puzzle.

ART
ASSEMBLY
BLACKBOARD
BOOKS
CALCULATOR
CHALK
CLASS
COMPUTER

CRAYONS
DESK
GRADES
HOMEWORK
MATHS
PENCILS

PLAYGROUND
READING
TEACHER

O	X	C	C	S	H	T	A	M	A	R	W
L	C	A	L	C	U	L	A	T	O	R	I
D	O	E	A	R	A	O	S	S	R	E	B
E	M	M	S	A	C	C	S	V	A	H	L
K	P	A	S	Y	K	S	E	D	R	C	A
R	U	S	K	O	O	B	M	N	E	A	C
O	T	L	L	N	A	S	B	N	A	E	K
W	E	I	A	S	U	E	L	B	D	T	B
E	R	C	H	U	N	D	Y	P	I	O	O
M	A	N	C	T	R	A	R	T	N	O	A
O	L	E	Y	U	I	R	A	T	G	I	R
H	C	P	L	A	Y	G	R	O	U	N	D

7. WHAT'S THE BUZZ?

Find the noises animals and creatures make.

BARK
BELLOW
BLEAT
BUZZ
CACKLE
CHIRP
COO

GROWL
GRUNT
HISS
HOOT
HOWL
MOO
PURR

QUACK
SNARL
SNIFF
SNORT
SQUEAK
WARBLE
WOOF

P	U	Z	I	W	O	E	L	B	R	A	W
B	U	Z	Z	E	O	F	F	R	E	D	O
E	T	R	G	T	K	C	A	U	Q	A	O
L	C	J	R	A	A	C	R	L	T	A	F
L	A	I	E	E	M	O	O	W	F	E	V
O	C	P	W	L	S	K	S	O	F	L	E
W	K	R	A	B	A	W	G	R	U	N	T
P	L	A	P	E	S	U	N	G	H	B	T
Z	E	T	U	S	N	A	R	L	E	B	R
Q	U	Q	I	P	Y	T	O	W	A	J	O
A	S	N	I	F	F	T	O	O	H	O	N
C	H	I	R	P	F	Y	Q	H	I	S	S

8. HAUNTED HOUSE

Who is in the haunted house?

GARGOYLES BOO
GHOSTS BOO
GHOULS
MONSTERS

PHANTOMS
SKELETONS
SPECTRES BOO
SPOOKS BOO

VAMPIRES BOO
WEREWOLF
ZOMBIES BOO

9. TREASURE CHEST

What gems and jewels are hidden in the treasure chest?

AMBER
AMETHYST
BANGLE
BRACELET
CORAL
DIAMOND

EMERALD
JADE
NECKLACE
PENDANT
RING
RUBY

SAPPHIRE
TOPAZ
TURQUOISE
ZIRCON

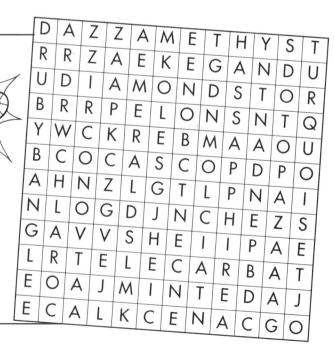

D	A	Z	Z	A	M	E	T	H	Y	S	T
R	R	Z	A	E	K	E	G	A	N	D	U
U	D	I	A	M	O	N	D	S	T	O	R
B	R	R	P	E	L	O	N	S	N	T	Q
Y	W	C	K	R	E	B	M	A	A	O	U
B	C	O	C	A	S	C	O	P	D	P	O
A	H	N	Z	L	G	T	L	P	N	A	I
N	L	O	G	D	J	N	C	H	E	Z	S
G	A	V	V	S	H	E	I	I	P	A	E
L	R	T	E	L	E	C	A	R	B	A	T
E	O	A	J	M	I	N	T	E	D	A	J
E	C	A	L	K	C	E	N	A	C	G	O

10. FAB FRUIT

Gather as many of these pieces of fruit as you can.

APRICOT
BANANA
CHERRY
DATES
GOOSEBERRY
GRAPES

KIWI
LEMON
MELON
ORANGE
PEACH
PEAR

PINEAPPLE
PLUM
RASPBERRY
STRAWBERRY

C	R	O	O	R	A	N	G	E	Y	E	S
H	A	B	A	N	A	N	A	A	T	L	T
E	S	N	O	O	R	Y	P	N	Q	P	R
R	E	J	O	V	A	R	B	W	Q	P	A
R	S	T	P	L	U	M	O	T	T	A	W
Y	R	R	E	B	E	S	O	O	G	E	B
S	H	R	A	N	O	M	E	L	D	N	E
C	A	G	R	A	P	E	S	O	F	I	R
I	W	I	K	I	R	I	W	I	R	P	R
F	A	T	R	A	S	P	B	E	R	R	Y
T	O	C	I	R	P	A	A	R	H	A	Y
D	P	E	A	C	H	S	E	T	A	D	O

11. COLOUR CRAZY

All these words are brightly coloured!

BALLOONS
CARNIVAL
CLOWN
CRAYONS
FIREWORKS

FRUIT
GEMS
MARBLES
NEON
PAINTS

PARROT
RAINBOW
SUNRISE
SUNSET

F	R	O	L	L	A	V	I	N	R	A	C
I	J	E	E	S	W	O	B	N	I	A	R
R	A	M	C	S	C	R	F	T	E	D	A
E	B	A	Q	D	G	E	M	S	S	E	Y
W	M	R	U	C	A	T	H	U	H	H	O
O	T	B	A	L	L	O	O	N	S	T	N
R	O	L	E	O	J	R	G	R	O	O	S
K	M	E	R	W	T	R	C	I	T	H	O
S	A	S	E	N	H	A	H	S	U	O	M
R	S	T	N	I	A	P	I	E	P	O	C
I	F	W	H	H	F	W	L	N	E	O	N
T	E	S	N	U	S	F	R	U	I	T	S

12. SWEET SHOP

Seek the treats inside the sweet shop.

CANDY
CARAMELS
CHEWS
CHOCOLATE
FUDGE

GUMDROPS
LIQUORICE
LOLLIPOPS
MARSHMALLOW
MINTS

SHERBET
TOFFEE

13. FLOWER GARDEN

Find the flowers hidden in the garden.

BLUEBELL
BUTTERCUP
CROCUS
DAISY
HOLLYHOCK

LILAC
LILY
MARIGOLD
PANSY
POPPY

ROSE
SNOWDROP
SWEETPEA

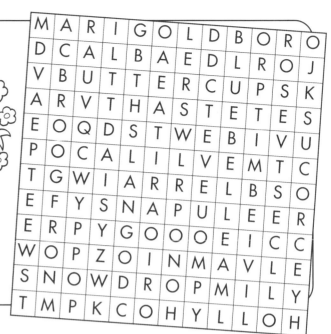

M	A	R	I	G	O	L	D	B	O	R	O
D	C	A	L	B	A	E	D	L	R	O	J
V	B	U	T	T	E	R	C	U	P	S	K
A	R	V	T	H	A	S	T	E	T	E	S
E	O	Q	D	S	T	W	E	B	I	V	U
P	O	C	A	L	I	L	V	E	M	T	C
T	G	W	I	A	R	R	E	L	B	S	O
E	F	Y	S	N	A	P	U	L	E	E	R
E	R	P	Y	G	O	O	O	E	I	C	C
W	O	P	Z	O	I	N	M	A	V	L	E
S	N	O	W	D	R	O	P	M	I	L	Y
T	M	P	K	C	O	H	Y	L	L	O	H

14. TREEHOUSE

What are the kids' treehouses made of?

APPLE
BIRCH
CEDAR
CHERRY
CHESTNUT

FIR
OAK
PALM
PEAR
PLUM

POPLAR
ROWAN
SYCAMORE
WALNUT
WILLOW

T	R	H	C	R	I	B	I	S	C	K	S
E	E	C	H	E	S	T	N	U	T	A	T
H	U	H	W	C	D	C	A	P	U	R	S
B	O	E	T	G	P	A	L	M	K	T	E
T	S	R	S	R	A	T	R	W	M	E	R
U	E	R	R	A	L	P	O	P	O	O	O
N	B	Y	L	U	H	I	W	I	H	K	M
L	E	Q	U	K	R	S	A	S	T	E	A
A	F	I	Z	A	A	E	N	H	M	I	C
W	I	L	L	O	W	C	R	H	U	I	Y
A	R	L	A	R	O	Z	O	O	L	A	S
A	P	P	L	E	B	R	A	E	P	I	E

15. SEASHORE SEARCH

Search the seashore for the hidden words.

BOAT
CRAB
JELLYFISH
LILOS
ROCKPOOL

SANDCASTLE
SEAWEED
SHELLS
STARFISH
SURF

SWIMMERS
TIDES
WAVES

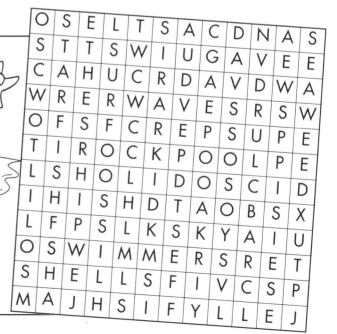

O	S	E	L	T	S	A	C	D	N	A	S
S	T	T	S	W	I	U	G	A	V	E	E
C	A	H	U	C	R	D	A	V	D	W	A
W	R	E	R	W	A	V	E	S	R	S	W
O	F	S	F	C	R	E	P	S	U	P	E
T	I	R	O	C	K	P	O	O	L	P	E
L	S	H	O	L	I	D	O	S	C	I	D
I	H	I	S	H	D	T	A	O	B	S	X
L	F	P	S	L	K	S	K	Y	A	I	U
O	S	W	I	M	M	E	R	S	R	E	T
S	H	E	L	L	S	F	I	V	C	S	P
M	A	J	H	S	I	F	Y	L	L	E	J

16. WILD WEATHER

What's hidden in the weather chart?

CLOUDY
COOL
CYCLONE
FREEZING
FOG
FROST
HAILSTORM

HAZY
HOT
HURRICANE
ICY
LIGHTNING
MIST
RAIN

SNOW
THUNDER
TORNADO
WET
WINDY

H	U	R	R	I	C	A	N	E	R	R	F
A	C	Y	C	L	O	N	E	R	D	T	R
I	S	O	W	O	R	D	C	A	S	S	E
L	T	R	O	R	I	B	C	I	V	E	E
S	N	O	W	L	Y	B	M	N	W	R	Z
T	O	R	N	A	D	O	B	C	E	E	I
O	S	D	E	J	N	U	H	O	T	D	N
R	D	B	R	O	I	H	A	P	E	N	G
M	B	C	V	F	W	P	Z	I	O	U	Z
M	Y	D	U	O	L	C	Y	W	I	H	S
I	C	A	C	G	L	F	R	O	S	T	S
L	I	G	H	T	N	I	N	G	O	G	G

17. FUNNY WORDS

Enjoy searching for these humorous words.

CARTOON
COMEDY
FUNNY
GAG
GIGGLE

HILARIOUS
HOWL
HUMOROUS
JEST
JOKE

LAUGH
PUN
SNIGGER
WIT

S	N	I	G	G	E	R	H	G	A	G	C
W	A	V	E	R	C	C	A	Y	K	I	T
E	W	K	A	L	A	J	O	K	E	S	E
L	A	U	G	H	T	E	P	T	U	U	M
T	I	W	I	V	B	S	Z	L	W	O	H
R	C	W	G	B	O	T	Q	M	K	R	Y
A	L	Y	G	I	C	A	R	T	O	O	N
H	E	N	L	J	X	D	O	Y	R	M	U
C	O	M	E	D	Y	J	J	E	A	U	P
A	V	L	O	Z	Y	N	N	U	F	H	M
B	R	I	D	A	Y	L	R	O	R	F	N
Y	S	U	O	I	R	A	L	I	H	J	O

18. FARMYARD FUN

Look who's in the farmyard.

CAT
CHICKENS
COW
DOG
DONKEY
DUCKS
GEESE
GOATS

HAMSTER
HORSE
LAMBS
MICE
PIG
RABBITS
RATS
SHEEP

S	T	S	C	C	G	H	E	O	O	P	V
T	A	H	D	O	G	S	Y	T	T	L	A
I	R	E	I	W	R	A	E	S	R	O	H
B	V	E	T	H	D	E	K	O	P	C	A
B	E	P	I	G	I	R	N	U	I	N	M
A	V	C	A	M	O	T	O	A	R	V	S
R	R	E	A	X	S	T	D	F	C	A	T
E	Y	S	N	E	K	C	I	H	C	S	E
S	S	K	C	U	D	H	S	R	O	U	R
O	Z	E	H	F	S	B	M	A	L	A	M
M	I	C	E	I	L	A	T	T	E	Y	P
P	R	O	G	G	O	A	T	S	N	Q	M

19. TOYS!

See how many toys you can find.

BALL
BAT
BICYCLE
BOAT
CRAYONS
DOLL
GAMES
KITE
PAINTS
PRAM
RATTLE
SKATES
TRAIN
YOYO

O	T	A	O	B	O	O	C	K	I	B	E
O	R	R	I	K	N	B	F	E	E	B	T
R	A	T	T	L	E	H	O	U	Z	I	T
Q	I	U	V	S	N	O	Y	A	R	C	M
S	N	O	W	B	R	I	O	X	X	Y	O
R	I	A	D	O	L	L	Y	M	K	C	O
S	O	W	O	N	L	H	O	P	C	L	N
K	H	E	I	M	A	U	W	A	A	E	B
A	I	O	T	A	B	S	B	I	L	B	O
T	M	C	G	R	A	I	T	N	T	H	N
E	B	O	A	P	R	V	E	T	I	K	N
S	E	M	A	G	A	Z	Y	S	K	N	E

20. GROCERY SHOP

Can you find the items hidden in the shop?

BACON
BEANS
BISCUITS
BREAD
BUTTER
CHEESE
COFFEE
EGGS
JAM
MARGARINE
MARMALADE
MILK
PEPPER
SOUP
SUGAR
TEA

I	T	W	B	I	S	C	U	I	T	S	S
E	E	F	F	O	C	H	T	K	L	I	M
E	A	V	I	E	R	S	W	S	E	R	A
N	C	G	H	A	E	U	S	U	G	A	R
M	S	T	R	P	P	M	Z	I	G	T	M
S	A	E	E	M	P	S	Y	U	S	I	A
C	D	J	C	H	E	E	S	E	X	O	L
S	C	R	D	H	P	G	C	A	S	L	A
O	E	M	A	R	G	A	R	I	N	E	D
U	C	R	E	T	T	U	B	T	A	G	E
P	Z	E	R	G	W	H	J	L	E	O	O
T	A	V	B	H	N	O	C	A	B	B	A

21. VEGETABLE PATCH

Find the selection of vegetables here.

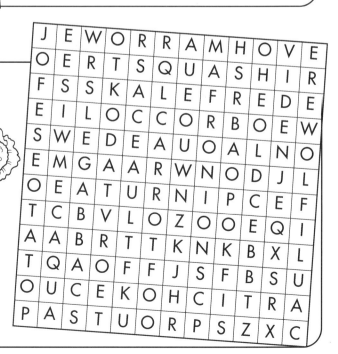

ARTICHOKE
BROCCOLI
CABBAGE
CARROT
CAULIFLOWER
KALE
LEEKS
MARROW
ONION
POTATOES
SPROUTS
SQUASH
SWEDE
TURNIP

J	E	W	O	R	R	A	M	H	O	V	E
O	E	R	T	S	Q	U	A	S	H	I	R
F	S	S	K	A	L	E	F	R	E	D	E
E	I	L	O	C	C	O	R	B	O	E	W
S	W	E	D	E	A	U	O	A	L	N	O
E	M	G	A	A	R	W	N	O	D	J	L
O	E	A	T	U	R	N	I	P	C	E	F
T	C	B	V	L	O	Z	O	O	E	Q	I
A	A	B	R	T	T	K	N	K	B	X	L
T	Q	A	O	F	F	J	S	F	S	B	U
O	U	C	E	K	O	H	C	I	T	R	A
P	A	S	T	U	O	R	P	S	Z	X	C

22. OCEANS AND SEAS

Go sailing! Find the oceans and seas in the grid.

ADRIATIC
ATLANTIC
ANTARCTIC
BALTIC
BLACK
CARIBBEAN
CASPIAN
DEAD
INDIAN
NORTH
PACIFIC
RED

D	E	R	A	H	O	U	B	L	A	C	K
R	E	F	B	I	A	T	E	R	R	T	G
E	C	A	S	P	I	A	N	O	C	H	P
F	I	T	C	P	P	U	F	W	T	I	A
C	T	L	D	J	I	V	G	L	I	P	C
I	L	A	E	K	E	W	A	K	C	N	I
T	A	N	T	A	R	C	T	I	C	A	F
A	B	T	F	L	Q	X	G	D	M	I	I
I	D	I	K	M	R	Y	I	A	A	D	C
R	E	C	A	R	I	B	B	E	A	N	L
D	V	U	G	N	S	Z	J	D	W	I	N
A	T	H	T	R	O	N	K	T	I	M	O

23. WHAT'S IN THE BATHROOM?

How many things can you find in the bathroom?

BUBBLEBATH
MAT
MIRROR
SHAMPOO
SHOWER
SINK
SOAP
SPONGE
TAPS
TILES
TOILET
TOOTHBRUSH
TOOTHPASTE
TOWEL

T	H	I	M	B	L	V	K	N	I	S	U
O	S	E	L	I	T	E	W	S	T	P	Q
P	U	R	R	S	H	A	M	P	O	O	H
H	R	Q	U	H	S	A	P	R	I	N	T
O	B	W	S	O	A	P	T	S	L	G	A
R	H	W	R	W	A	N	T	I	E	E	B
D	T	O	W	E	L	C	H	I	T	G	E
E	O	E	D	R	L	H	A	F	U	O	L
N	O	F	A	U	C	E	T	G	H	I	B
T	T	O	O	T	H	P	A	S	T	E	B
A	C	A	T	Y	H	O	T	F	A	U	U
M	I	R	R	O	R	F	A	T	B	O	B

24. WHAT'S IN THE KITCHEN?

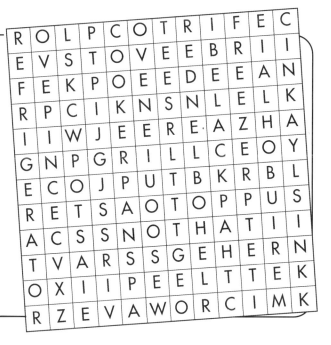

How many things can you find in the kitchen?

BLENDER
COOKER
FREEZER
GRILL
KETTLE
MICROWAVE
OVEN
PANS
POTS
REFRIGERATOR
SINK
STOVE
TOASTER

R	O	L	P	C	O	T	R	I	F	E	C
E	V	S	T	O	V	E	E	B	R	I	I
F	E	K	P	O	E	E	D	E	E	A	N
R	P	C	I	K	N	S	N	L	E	L	K
I	I	W	J	E	E	R	E	A	Z	H	A
G	N	P	G	R	I	L	L	C	E	O	Y
E	C	O	J	P	U	T	B	K	R	B	L
R	E	T	S	A	O	T	O	P	P	U	S
A	C	S	S	N	O	T	H	A	T	I	I
T	V	A	R	S	S	G	E	H	E	R	N
O	X	I	I	P	E	E	L	T	T	E	K
R	Z	E	V	A	W	O	R	C	I	M	K

25. BIRDS

How many birds can you spot?

BLACKBIRD
BUDGIE
CANARY
DOVE
HAWK

LAPWING
LARK
LINNET
MAGPIE
NIGHTINGALE

PARROT
PEEWIT
PIGEON

A	C	T	I	C	B	U	N	S	X	Z	N
P	A	R	R	O	T	Q	R	E	N	V	I
R	N	A	T	W	L	A	P	W	I	N	G
D	A	R	E	I	B	E	E	F	O	G	H
R	R	C	N	B	N	T	E	W	I	N	T
I	Y	H	N	C	O	E	W	D	I	R	I
B	A	A	I	R	M	P	I	G	E	O	N
K	R	A	L	J	A	N	T	A	R	T	G
C	W	O	P	S	G	O	G	H	R	S	A
A	C	A	T	X	P	W	B	L	O	R	L
L	A	T	H	W	I	N	A	D	O	V	E
B	U	D	G	I	E	E	W	N	W	F	R

26. GO NUTS!

This puzzle will drive you nuts!

ACORN
ALMOND
BRAZIL
CASHEW
CHESTNUT
COCONUT

FILBERT
GROUNDNUT
HAZEL
MACADAMIA
PEANUT
PECAN

PISTACHIO
WALNUT

G	R	M	A	N	H	C	A	S	H	E	W
N	X	A	A	L	L	R	T	R	E	U	A
B	A	C	O	R	N	L	B	F	U	E	L
A	E	A	G	O	F	I	O	I	R	G	N
P	S	D	Z	H	A	Z	E	L	I	G	U
E	E	A	E	A	H	A	I	B	T	R	T
A	L	M	O	N	D	R	P	E	U	D	S
N	I	I	T	S	T	B	H	R	N	H	W
U	A	A	B	F	S	D	P	T	O	J	R
T	N	T	U	N	T	S	E	H	C	K	H
G	P	I	S	T	A	C	H	I	O	S	D
T	U	N	D	N	U	O	R	G	C	W	R

27. PRIVATE DETECTIVE

Become a private detective and track down these words.

CASE
CLUES
CRIME
DATA
FACTS
FINGERPRINTS
FORENSIC
GUMSHOE

HUNT
IDENTITY
PROOF
SEARCH

SLEUTH
SOLVE

T	R	F	A	C	T	S	E	E	V	J	K
O	T	C	R	I	M	E	E	S	T	V	M
Y	S	L	E	U	T	H	N	A	V	A	U
I	L	U	J	E	V	J	K	M	R	I	T
C	E	E	V	E	J	I	G	Y	T	C	Y
I	M	S	E	O	N	E	U	T	N	U	H
S	J	F	O	O	R	P	O	I	Z	A	C
N	A	O	H	L	Q	A	R	T	R	A	I
E	C	I	S	K	V	T	E	N	S	O	R
R	C	G	M	D	D	E	T	E	T	Y	I
O	A	R	U	Y	A	T	A	D	J	A	C
F	I	N	G	E	R	P	R	I	N	T	S

28. ROBOTS

Find the words linked to robots.

ANDROID
COMPUTER
CONTROLS
CYBORG
FUTURISTIC

HUMANOID
INTELLIGENCE
MACHINE
MEMORY
PROCESS

PROGRAM
ROBOT
TECHNOLOGY

```
S H I S L O R T N O C S
P T E C H N O L O G Y S
D V N O U F B H E R B E
V N I M H G O H O R O C
H K H P S D T M A X R O
U W C U E C E B A R G R
M S A T D M A R G O R P
A X M E C I T E R E U E
N I D R B J U N E I E J
O E C I T S I R U T U F
I N T E L L I G E N C E
D I O R D N A S T E R Z
```

29. AROUND THE WORLD

Find the continents and countries in the puzzle.

AFRICA
AMERICA
AUSTRALIA
BELGIUM
BRITAIN
CHINA

EGYPT
FRANCE
GERMANY
ICELAND
ITALY
JAPAN

NORWAY
RUSSIA
SPAIN
SWEDEN

```
S P A I N Y I N A P A J
W K I C O M M M J F M R
E E S E S O U S X E E D
D C S L P N I A T I R B
E D U A L O G H P W I U
N S R N A R L O Y A C Z
E C M D V W E U G C A E
C H O A C A B S E I S S
N I T A L Y E E V R R C
A N D R H I T R E F R I
R A U S T R A L I A I C
F R O I L Y N A M R E G
```

30. GLOBE TROTTERS

Can you find these countries?

AUSTRIA
BRAZIL
CANADA
DENMARK
FINLAND
GREECE

GREENLAND
HOLLAND
HUNGARY
INDIA
MEXICO
PERU

PORTUGAL
SWITZERLAND
THAILAND
TURKEY

```
I A V A L L C A N A D A
N H M E X I C O F I N U
D U Y O R Z N R O B A S
I N E K R A M N E D L T
A G K G R R E A T N R R
X A R E X B W D H A E I
E R U T D F E Z A L Z A
C Y T R U E T E I N T R
E P O R T U G A L I I V
E Q E R C V G H A F W A
R P C H O L L A N D S L
G R E E N L A N D J R O
```

31. CREEPY-CRAWLY

This puzzle is full of creepy-crawly creatures.

BEETLE
BUG
CATERPILLAR
CENTIPEDE
COCKROACH
EARWIG

LADYBIRD
NIT
PARASITE
SCORPION
SLUG
SPIDER

TARANTULA
WEEVIL
WORM

B	I	R	F	S	L	U	G	A	L	O	R
C	E	G	R	E	A	C	U	T	Y	O	A
O	K	E	X	D	R	I	B	Y	D	A	L
C	A	A	T	I	Q	U	O	T	R	S	L
K	K	R	R	L	M	R	O	W	I	C	I
R	D	W	A	E	E	W	L	E	F	G	P
O	O	I	J	S	P	I	D	E	R	B	R
A	K	G	A	P	T	O	V	V	W	X	E
C	A	Y	P	A	R	A	S	I	T	E	T
H	T	A	R	A	N	T	U	L	A	R	A
A	I	H	E	D	E	P	I	T	N	E	C
J	N	O	I	P	R	O	C	S	Z	O	I

32. INCREDIBLE INSECTS!

Can you find the insects?

F	I	R	E	F	L	Y	T	H	O	C	E
L	P	R	I	B	C	Z	W	T	A	N	G
E	S	H	O	R	N	E	T	R	E	P	D
A	S	T	I	R	S	H	I	J	L	O	I
I	G	M	O	O	C	W	C	I	T	N	M
T	R	D	O	P	A	R	K	V	T	M	A
P	E	D	O	T	I	U	Q	S	O	M	R
T	E	P	Z	O	H	I	V	S	B	V	T
P	N	S	S	I	G	M	T	O	E	T	O
T	F	A	H	A	R	L	O	C	U	S	T
X	L	W	A	F	R	E	R	S	L	U	S
I	Y	L	F	R	E	T	T	U	B	U	H

ANT
BLUEBOTTLE
BUTTERFLY
FIREFLY
FLEA

GNAT
GREENFLY
HORNET
LOCUST
MIDGE

MOSQUITO
MOTH
TICK
WASP

33. GOBBLEDYGOOK

All these words mean utter nonsense!

BLAH
BLETHER
DAFT
DRIVEL
FABLE
FLAPDOODLE
FLIMFLAM
GOBBLEDYGOOK

NONSENSE
PRATTLE
RHUBARB
ROT
SILLY
STUPID
WAFFLING

Z	A	H	P	P	Y	L	L	I	S	Y	O
A	N	S	A	B	R	A	B	U	H	R	O
G	O	B	B	L	E	D	Y	G	O	O	K
M	N	O	W	T	B	L	A	G	H	T	F
M	S	C	A	R	T	E	B	F	S	L	B
A	E	H	F	A	B	L	E	M	T	A	L
L	N	A	F	L	E	T	B	I	U	N	E
F	S	F	L	E	S	T	E	T	P	C	T
M	E	Q	I	V	A	A	L	U	I	E	H
I	A	U	N	I	N	R	G	L	D	T	E
L	Z	I	G	R	R	P	I	B	D	U	R
F	L	A	P	D	O	O	D	L	E	I	R

34. MUSICAL INSTRUMENTS

Can you fnd the instruments?

BAGPIPES
BANJO
BELLS
FLUTE
GUITAR

HARMONICA
KAZOO
KEYBOARD
OBOE
PIANO

RECORDER
TAMBOURINE
VIOLA
VIOLIN

B	R	I	P	J	U	S	O	O	Z	A	K
A	G	U	I	T	A	R	S	R	I	E	E
C	T	N	A	A	R	U	O	E	P	N	Y
I	E	R	N	W	T	L	I	D	M	I	B
N	I	L	O	I	V	E	L	R	W	R	O
O	R	A	I	T	I	S	R	O	Q	U	A
M	B	A	N	J	O	O	L	C	U	O	R
R	E	O	D	F	L	U	T	E	O	B	D
A	L	R	E	F	A	Y	R	R	I	M	R
H	L	U	T	E	I	T	G	N	S	A	A
L	S	V	E	S	H	O	P	I	E	T	T
O	S	C	S	E	P	I	P	G	A	B	H

35. 'A' WORDS

All these words start
with the letter A.

ABACUS
ACROBAT
ALADDIN
ALASKA
AMAZON
AMBER

APOLLO
APRIL
AQUAMARINE
ART
ASTRONAUT
ASTRONOMY

ATLAS
AUGUST
AZURE

A	S	T	R	O	N	A	U	T	G	O	R
S	P	R	V	E	A	T	D	R	C	J	N
T	A	Q	U	A	M	A	R	I	N	E	C
R	P	A	T	A	B	O	R	C	A	B	E
O	R	A	C	U	E	A	W	T	K	L	D
N	I	A	R	C	R	T	C	S	J	O	S
O	L	L	O	P	A	A	Z	U	R	E	A
M	R	A	N	A	L	B	A	G	S	R	L
Y	O	D	I	D	O	S	O	U	O	S	A
F	W	D	N	O	Z	A	M	A	L	V	S
D	L	I	S	C	I	T	R	O	L	W	K
M	M	N	B	B	S	A	L	T	A	Q	A

36. MORE 'A' WORDS

Again, every word begins with the letter A.

ACTION
ADVENTURE
ALMOND
ALPHABET
APPLE
APRICOT
APRON
ARCADE

ARCTIC
ARENA
ARITHMETIC
ASTEROID
ATMOSPHERE
ATTIC
AUBURN

H	E	R	E	H	P	S	O	M	T	A	U
A	M	I	L	K	I	R	O	S	E	R	H
D	N	O	M	L	A	A	R	C	T	I	C
V	B	E	W	A	A	P	P	L	E	T	O
E	U	A	S	T	E	R	O	I	D	H	U
N	Z	N	T	M	C	I	T	T	A	M	S
T	Z	E	I	A	R	C	A	D	E	E	R
U	R	S	T	P	K	O	H	A	W	T	C
R	A	N	E	R	A	T	K	I	T	I	Z
E	S	E	I	O	N	N	O	I	T	C	A
A	T	O	M	N	R	U	B	U	A	S	Q
A	L	P	H	A	B	E	T	K	A	J	U

37. BIRTHDAYS!

All these words are associated with birthdays.

CAKE
CANDLES
CELEBRATE
DANCING
DECORATIONS
FRIENDS

FUN
GAMES
GIFTS
HAPPY
HATS
ICING

MUSIC
PARTY
PRESENTS
SINGING
WISH

S	R	I	B	O	G	I	F	T	S	N	S
I	C	I	N	G	O	R	D	E	N	U	F
N	W	H	I	T	E	B	L	A	C	K
G	N	I	C	N	A	D	T	R	I	P	S
I	S	C	E	L	E	B	R	A	T	E	H
N	H	A	P	P	Y	C	H	D	A	R	O
G	E	K	S	T	N	E	S	E	R	P	R
M	E	E	R	Y	A	W	O	R	O	L	P
U	S	T	A	H	D	R	A	S	C	L	A
S	L	A	R	T	S	G	A	M	E	S	R
I	C	R	O	F	R	I	E	N	D	S	T
C	A	N	D	L	E	S	W	F	G	H	Y

38. DOGS

Find the dogs in the word puzzle.

BASSET
BEAGLE
CHOW
CORGI
DACHSHUND

DOBERMAN
LABRADOR
PEKINESE
POMERANIAN
ROTTWEILER

SETTER
SHEEPDOG
WOLFHOUND

R	E	L	G	A	E	B	D	B	P	W	Y
O	G	J	A	L	S	A	T	I	O	N	O
T	O	N	S	O	S	S	X	H	M	W	A
T	E	A	M	V	H	S	C	T	E	O	B
W	E	M	H	H	E	E	A	M	R	L	E
E	R	R	I	E	E	T	S	I	A	F	S
I	S	E	S	R	P	O	J	H	N	H	E
L	A	B	R	A	D	O	R	T	I	O	N
E	Z	O	L	G	O	R	M	T	A	U	I
R	D	D	R	I	G	R	O	C	N	N	K
A	R	D	N	U	H	S	H	C	A	D	E
A	S	E	T	T	E	R	H	A	P	I	P

39. MORE DOGS

Discover the dogs hidden here.

AIREDALE
BLOODHOUND
BOXER
BULLDOG
CHIHUAHUA

COLLIE
DALMATIAN
GREYHOUND
HUSKY
NEWFOUNDLAND

POODLE
PUG
SPANIEL
WHIPPET

A	D	O	G	I	L	E	I	N	A	P	S
C	A	I	R	E	D	A	L	E	I	O	T
D	L	E	E	A	D	E	R	S	T	O	B
N	M	A	V	C	R	O	I	L	C	D	L
U	A	U	B	O	X	E	R	A	H	L	O
O	T	B	U	L	L	D	O	G	I	E	O
H	I	I	K	L	S	C	U	E	H	I	D
Y	A	W	H	I	P	P	E	T	U	U	H
E	N	C	O	E	T	E	A	C	A	L	O
R	M	P	U	T	Y	K	S	U	H	A	U
G	E	R	B	I	E	F	O	P	U	C	N
N	E	W	F	O	U	N	D	L	A	N	D

40. TRAIN STATION

Find the words associated with train stations.

BUFFERS
CARRIAGES
DRIVER
GUARD
PASSENGERS

PLATFORM
RAILS
SHUNTER
SIGNALS
SLEEPER

TICKETS
TIMETABLE
WHISTLE

B	S	E	G	A	I	R	R	A	C	H	W
R	E	A	D	S	T	E	K	C	I	T	H
S	D	R	I	V	E	R	I	V	A	I	I
R	E	E	A	W	I	F	E	A	L	M	S
E	A	P	S	I	G	N	A	L	S	E	T
F	V	E	E	I	L	D	R	O	J	T	L
F	I	E	S	T	B	S	D	E	P	A	E
U	P	L	A	T	F	O	R	M	D	B	P
B	D	S	U	N	N	E	A	W	S	L	P
A	S	U	R	E	T	N	U	H	S	E	A
W	O	R	G	H	O	R	G	S	Q	U	I
T	A	S	R	E	G	N	E	S	S	A	P

41. FOOTBALL CRAZY

Search for the football words.

BALL
CORNER
DRAW
GOAL
FLAG
FOUL

KICK
MANAGER
NETS
REFEREE
RELEGATION
SAVE

SCORE
SOCCER
SUBSTITUTE
TACKLE
TEAM

R	S	T	B	S	L	C	O	R	N	E	R
I	M	A	E	T	U	H	U	E	D	S	E
T	L	C	W	E	V	Z	O	F	O	U	L
L	M	K	I	N	E	N	E	E	R	B	E
I	R	L	H	T	M	W	A	R	D	S	G
K	A	E	I	I	A	A	R	E	B	T	A
E	T	F	K	N	N	S	H	E	O	I	T
E	D	T	O	S	A	E	J	T	R	T	I
V	F	F	L	A	G	C	I	K	A	U	O
A	E	A	R	E	E	R	O	C	S	T	N
S	O	C	C	E	R	B	K	I	N	E	A
G	E	K	N	R	A	S	E	K	E	Y	F

42. COWBOY RANCH

Find the ranching words.

BRONCO
CATTLE
CHAPS
COWBOY
HORSE
LARIAT
LASSO
PRAIRIE

RANCH
RANGER
SADDLE
SHEEP
SPURS
STETSON
TROUGH

R	E	G	N	A	R	D	R	H	A	W	R
A	S	C	A	R	F	B	R	O	N	C	O
R	T	R	U	E	B	E	X	R	I	O	U
S	E	I	R	I	A	R	P	S	E	V	J
T	R	O	U	G	H	V	E	E	A	C	B
E	E	C	A	T	T	L	E	L	G	F	E
T	W	O	D	B	A	V	H	O	U	S	A
S	E	W	I	S	O	B	S	R	E	S	H
O	I	B	S	V	P	L	S	P	A	H	C
N	E	O	A	E	V	U	P	A	R	K	N
S	D	Y	D	S	L	A	R	I	A	T	A
J	O	J	E	L	D	D	A	S	W	O	R

43. CIRCUS

Find the words linked to the circus.

ACROBAT
ACTS
CLOWNS
ELEPHANTS
HORSES

JUGGLE
LIONS
MAGIC
RIGGING
RING

SHOWS
TIGERS
TRAINER
TRAPEZE
TENT

```
E L G G U J I G Z I P Z
L W I P T R A P E Z E B
E C M A G I C R T D Y I
P J R F E N P J A C T S
H G N I G G I R B L E H
A S D F N E O F O O S O
N E O R D S B K R W U W
T S E S R O H Z C N J S
S A R E S D S T A S G K
R O G W J A E W E B E E
L I O N S R T Q V N F N
T R A I N E R R A R T O
```

44. COMPUTERS

Use your skills to find the computer words.

COMPUTER
DESKTOP
DISK
FONT
GAMES
HARDWARE

KEYBOARD
INPUT
LAPTOP
MAIL
MEMORY
MODEM

MOUSE
NET
PRINTER
SOFTWARE
WEB

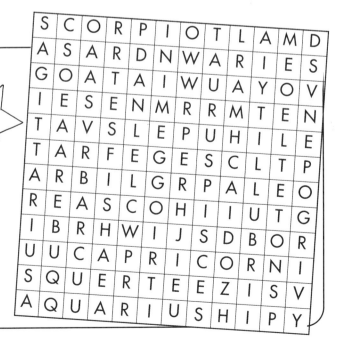

```
D E R D R A O B Y E K U
E I D R E T N I R P S D
S E V R R E S U O M I R
K R I F I F D Z M C D O
T C B I O S E U E R O H
O R A N V E S E M A G A
P O T P A L N H A M R R
R A I U T O I P Y E R D
T H W T T I T A E D G W
N Z B R E T U P M O C A
R E V L E M K L T M A R
W A T F S O F T W A R E
```

45. STAR SIGNS

Search for the star signs in this zodiac puzzle.

ARIES
AQUARIUS
BULL
CAPRICORN
CRAB
FISH
GEMINI

GOAT
LEO
LIBRA
LION
PISCES
RAM
SAGITTARIUS

SCORPIO
TAURUS
TWINS
VIRGO
ZODIAC

```
S C O R P I O T L A M D
A S A R D N W A R I E S
G O A T A I W U A Y O V
I E S E N M R R M T E N
T A V S L E P U H I L E
T A R F E G E S C L T P
A R B I L G R P A L E O
R E A S C O H I I U T G
I B R H W I J S D B O R
U U C A P R I C O R N I
S Q U E R T E E Z I S V
A Q U A R I U S H I P Y
```

46. HERBS AND SPICES

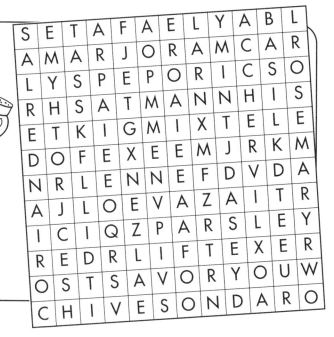

Find the herbs and spices hidden in the puzzle.

BASIL
BAYLEAF
CHIVES
CHERVIL
CORIANDER

DILL
FENNEL
MARJORAM
MINT
PARSLEY

ROSEMARY
SAGE
SAVORY
THYME

S	E	T	A	F	A	E	L	Y	A	B	L
A	M	A	R	J	O	R	A	M	C	A	R
L	Y	S	P	E	P	O	R	I	C	S	O
R	H	S	A	T	M	A	N	N	H	I	S
E	T	K	I	G	M	I	X	T	E	L	E
D	O	F	E	X	E	E	M	J	R	K	M
N	R	L	E	N	N	E	F	D	V	D	A
A	J	L	O	E	V	A	Z	A	I	T	R
I	C	I	Q	Z	P	A	R	S	L	E	Y
R	E	D	R	L	I	F	T	E	X	E	R
O	S	T	S	A	V	O	R	Y	O	U	W
C	H	I	V	E	S	O	N	D	A	R	O

47. CHRISTMAS

Find these Christmastime words.

CARDS
CAROLS
CHIMNEY
CHRISTMAS
DECEMBER
ELVES
GARLANDS
GIFTS

HOLLY
MISTLETOE
SLEIGH
TINSEL
TOYS
TREE
TURKEY

S	D	R	A	C	B	T	U	R	K	E	Y
V	E	A	T	R	R	E	A	K	F	A	S
M	C	H	R	I	S	T	M	A	S	D	S
I	E	Q	E	C	E	B	D	E	R	Y	T
S	M	Y	E	R	S	C	A	R	O	L	S
T	B	J	T	I	M	H	N	T	A	T	D
L	E	K	N	H	G	I	E	L	S	N	N
E	R	K	A	S	R	M	A	E	S	M	A
T	I	L	E	P	H	N	P	S	R	W	L
O	U	V	N	D	F	E	V	N	F	A	R
E	L	H	O	L	L	Y	D	I	Y	I	A
E	D	H	S	T	D	B	S	T	F	I	G

48. FESTIVE FUN

And these festive ones, too!

BAUBLES
CANDLES
CHESTNUTS
COLD
DECORATIONS
FAIRY
FEAST

LIGHTS
REINDEER
RUDOLPH
SANTA
SNOW
STAR
YULETIDE

R	U	D	O	L	P	H	F	A	I	R	Y
E	A	R	T	C	H	J	K	E	S	W	U
I	F	A	V	R	T	S	T	H	G	I	L
N	E	V	E	Y	J	T	S	Z	S	H	E
D	S	E	L	B	U	A	B	A	T	T	T
E	C	R	S	I	S	R	T	N	U	A	I
E	H	T	F	E	A	S	T	A	N	S	D
R	A	T	M	E	L	E	M	O	T	N	E
W	T	I	F	W	M	D	S	A	S	H	U
O	N	C	O	L	D	B	N	M	E	F	D
R	A	N	F	A	D	R	D	A	H	J	K
K	S	N	O	I	T	A	R	O	C	E	D

49. FIRE STATION

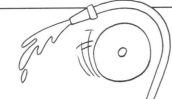

All the words here are linked to a fire station.

AXE
BELL
ENGINE
FIRE
FOAM

HELMETS
HOSE
LADDER
MASKS
POLE

RADIO
RESCUE
TURNTABLE
UNIFORM
WATER

W	O	F	F	U	N	I	F	O	R	M	I
D	R	A	I	T	E	R	E	T	A	W	I
A	R	K	O	R	I	F	T	C	D	O	D
J	O	N	R	S	E	C	B	L	I	V	E
E	L	O	P	S	L	V	R	E	O	S	N
F	A	A	S	L	B	E	L	L	A	K	T
O	D	L	O	S	A	R	A	H	S	S	R
R	D	T	B	O	T	I	C	B	T	A	E
E	E	N	G	I	N	E	H	U	O	M	S
S	R	D	D	N	R	A	S	T	A	G	C
H	E	A	R	Y	U	S	K	O	S	X	U
H	E	L	M	E	T	S	F	R	H	U	E

50. 'B' WORDS

Find the words starting with the letter B.

BAMBOOZLE
BANANA
BAT
BAUBLE
BEAUTY
BEEHIVE
BILLION

BINOCULARS
BLOSSOM
BLUEBELL
BOAT
BONFIRE
BOOK
BOX

BOY
BREAD
BREAKFAST
BUBBLE
BUTTER
BUZZ

F	B	H	B	I	B	M	B	L	B	T	A
B	I	N	O	C	U	L	A	R	S	A	C
L	L	E	N	B	T	M	N	I	M	O	T
O	L	V	F	L	T	D	A	E	R	B	T
S	I	I	I	U	E	O	N	L	A	J	S
S	O	H	R	E	R	R	A	U	J	K	A
O	N	E	E	B	I	N	B	O	Y	Y	F
M	S	E	V	E	X	L	U	O	R	T	K
R	S	B	K	L	E	A	J	B	F	U	A
X	A	O	G	L	C	K	G	U	I	A	E
B	O	B	A	M	B	O	O	Z	L	E	R
B	U	B	B	L	E	V	R	Z	S	B	B

51. PUZZLE WORDS

All these words have something to do with puzzles.

ANSWER
CLUES
CODE
CRYPTIC
ENIGMA
GRID

JIGSAW
LOGIC
MAZE
MIND
MYSTERY
PUZZLE

RIDDLE
QUIZ
SOLUTIONS
WORDSEARCH

W	A	I	C	R	Y	P	T	I	C	R	O
O	K	E	J	C	R	U	Z	O	O	C	E
R	Y	N	A	R	A	Z	A	Q	U	I	Z
D	N	I	M	E	B	Z	X	G	D	G	A
S	R	G	R	W	A	L	C	L	U	O	M
E	R	M	Y	S	T	E	R	Y	F	L	A
A	A	A	A	N	E	J	I	G	S	A	W
R	H	Z	D	A	I	E	D	O	C	K	O
C	R	B	R	I	V	E	D	L	L	S	O
H	P	O	T	B	R	W	L	D	U	D	F
Q	U	E	O	M	I	G	E	W	E	R	I
A	S	N	O	I	T	U	L	O	S	O	H

52. COOL!

This wordsearch is
really cool.

ARCTIC
CHILLY
COLD
COOL
FREEZING
FROSTBITE

GLACIER
HAILSTONE
ICELAND
POLAR
SLEET
SNOWFLAKE

SNOWSTORM
WINTRY

```
I C H I L L Y D D V I W
R R B A L K R G J Y C I
I A S N O W F L A K E N
R L N I U N R L R O L T
C O O E C O O L C A A R
S P W V O Y S U T I N Y
T E S I L J T R I O D E
E D T H D N B I C T L L
E N O T S L I A H V E A
L J R N I O T R H X S E
S T M I O R E I C A L G
B R U E G N I Z E E R F
```

53. IT'S A JUNGLE!

Find the animals and
creatures hidden here.

CHEETAH
CHIMP
COUGAR
GECKO
GIRAFFE

GORILLA
JAGUAR
MONKEY
MOSQUITO
PANTHER

TIGER
VIPER
VULTURE
ZEBRA

```
M O S Q U I T O L D G W
O S T K T A K W I W O I F
N O R T K C A J K E R F
K V T I E E F F A R I G
E I H G R H O L R O L E
Y R I E E C G D B L L R
E I M R P C H E E T A H
D P O M I O I H Z U S W
A C I F V U L T U R E H
D H U S A G I R I L P A
C R P A J A G U A R Z V
R A F X E R E H T N A P
```

54. JUNGLE FUN!

Hunt for even more hidden animals and creatures.

ANTELOPE
APE
COBRA
CROCODILE
ELEPHANT
HIPPO
HYENA

LEOPARD
LION
OCELOT
PIRANHA
SNAKE
SPIDER
RHINO

```
S A N D S R U C O B R A
P I R A N H A R D A X X
I A R V A E D O N I H R
D G H H K J T C S H L O
E O A M E D B O P P I H
R R N O O Y J D I F O R
I B T N G I E I I O N O
A N E Y H L S L D C Z S
S F L J L R E E M E D E
L E O P A R D D O L L S
E M P P N I C N W O L I
M A E L E P H A N T I G
```

55. 'C' WORDS

All these words begin with the letter C.

CAFE
CALCULATOR
CALENDAR
CARAMEL
CARAVAN
CARNIVAL

CARTOON
CAT
CAVE
CHARM
CHEF
CHERRY

CHOCOLATE
CINDERELLA
CINEMA
COCOA
COMET
CREAM

S	A	F	E	T	A	L	O	C	O	H	C
L	N	C	I	N	D	E	R	E	L	L	A
A	C	A	A	H	O	U	S	E	E	R	L
V	S	R	O	R	C	I	N	E	M	A	C
I	T	A	E	T	T	A	K	T	A	C	U
N	T	V	O	A	H	O	E	S	R	E	L
R	J	A	T	C	M	M	O	A	A	V	A
A	N	N	E	H	O	S	R	N	C	A	T
C	A	N	D	C	L	C	U	A	Q	C	O
D	Y	R	R	E	H	C	U	P	H	Q	R
C	C	A	L	E	N	D	A	R	R	C	S
D	T	E	F	A	C	S	T	O	T	Y	F

56. 'D' WORDS

Look for the words beginning with the letter D.

S	E	L	Z	Z	A	D	F	R	E	S	I
E	S	V	D	E	C	E	M	B	E	R	F
C	T	R	O	I	R	S	U	D	H	U	R
R	G	A	O	D	A	S	P	D	O	A	O
E	G	R	D	A	D	E	O	A	U	S	G
D	N	D	L	D	A	R	K	R	R	O	H
A	I	C	E	F	G	T	G	J	S	N	E
I	W	Y	E	M	D	Y	N	A	M	I	C
S	A	L	L	P	P	A	A	L	E	D	N
Y	R	I	A	D	I	L	S	L	V	T	A
S	D	A	N	D	E	L	I	O	N	F	D
W	I	D	H	G	E	O	N	D	U	C	K

DAILY
DAIRY
DAISY
DANCE
DANDELION
DARK

DATE
DAZZLE
DECEMBER
DESSERT
DINOSAUR
DOODLE

DOVE
DRAWING
DUCK
DYNAMIC

57. DESERT

Have a look for these desert words.

CACTI
CAMELS
DATES
DESERT
DUNES
DRY

GOATS
HAZE
HEAT
LIZARDS
MIRAGE
OASIS

PALMS
SAHARA
SANDSTORM
SCORPION
WATER

Z	O	N	E	R	K	R	E	T	A	W	E
H	A	P	P	M	I	R	A	G	E	E	R
S	T	U	A	H	C	A	C	T	I	P	D
A	E	Y	Y	L	A	C	T	I	R	G	U
N	R	Q	U	E	M	S	D	A	M	O	N
D	A	T	E	S	E	S	S	I	N	A	E
S	H	D	N	V	L	N	D	H	J	T	S
T	E	B	D	E	S	E	R	T	N	S	T
O	A	S	I	S	A	H	A	R	A	O	R
R	T	T	R	S	C	E	Z	A	H	S	I
M	R	S	C	O	R	P	I	O	N	I	S
H	A	W	T	R	I	X	L	F	I	N	G

58. BIRDS

How many birds can you spot?

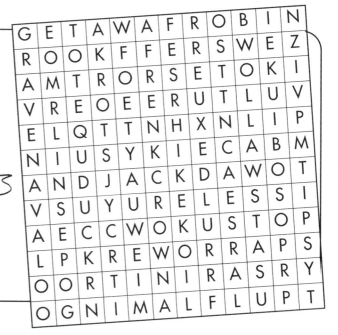

CUCKOO   ROBIN
CROW   ROOK
DUCK   SPARROW
FLAMINGO   STORK
JACKDAW   SWALLOW
RAVEN   VULTURE

G	E	T	A	W	A	F	R	O	B	I	N
R	O	O	K	F	F	E	R	S	W	E	Z
A	M	T	R	O	R	S	E	T	O	K	I
V	R	E	O	E	E	R	U	T	L	U	V
E	L	Q	T	T	N	H	X	N	L	I	P
N	I	U	S	Y	K	I	E	C	A	B	M
A	N	D	J	A	C	K	D	A	W	O	T
V	S	U	Y	U	R	E	L	E	S	S	I
A	E	C	C	W	O	K	U	S	T	O	P
L	P	K	R	E	W	O	R	R	A	P	S
O	O	R	T	I	N	I	R	A	S	R	Y
O	G	N	I	M	A	L	F	L	U	P	T

59. PIZZA PICK

Pick out all the different toppings and types of pizza.

ANCHOVY   MOZZARELLA
BACON   OLIVES
CHEESE   ONIONS   PINEAPPLE
FROZEN   PAN   SAUSAGE
GARLIC   PEPPERONI   SPICY
HAM   PEPPERS   TOMATO

S	G	E	C	U	F	V	B	A	C	O	N
O	Y	V	O	H	C	N	A	C	R	R	O
G	O	O	G	L	H	A	N	T	H	E	L
A	P	E	P	P	E	R	O	N	I	M	O
R	I	C	E	D	E	A	V	E	N	M	T
L	N	U	D	G	S	X	S	F	E	E	A
I	E	A	L	L	E	R	A	Z	Z	O	M
C	A	S	N	S	X	Z	U	I	O	N	O
S	P	A	R	R	S	M	S	H	R	I	T
S	P	I	C	Y	O	R	A	S	F	O	W
O	L	I	V	E	S	G	G	H	R	N	W
P	E	P	P	E	R	S	E	T	E	S	I

60. SUMMER

Search for the summer words.

HAPPY   JULY
HEATWAVE   MIDSUMMER   SUMMERTIME
HOLIDAY   PICNIC   SUNSHINE
HOT   SAND   SWIMMING
JUNE   SEA   WARM

E	V	A	W	T	A	E	H	S	G	O	O
D	E	L	O	V	J	R	S	W	A	R	M
S	G	C	D	J	U	N	E	I	S	T	I
E	U	S	N	A	L	V	N	M	A	R	D
S	Y	N	A	R	Y	O	R	M	D	U	S
S	A	A	S	P	I	C	N	I	C	S	U
A	D	L	J	H	K	O	P	N	V	I	M
L	I	R	H	A	I	I	N	G	U	M	M
G	L	D	T	P	B	N	E	A	R	S	E
N	O	O	C	P	L	E	E	T	H	V	R
U	H	R	D	Y	Y	O	G	M	I	S	S
S	S	U	M	M	E	R	T	I	M	E	T

61. HALLOWEEN

It's Halloween! Can you find the ghostly words?

APPLES
BAT
CANDLES
COSTUME
GHOSTS
HALLOWEEN

LANTERN
MASK
OCTOBER
PARTY
PUMPKIN
TREACLE

WARLOCK
WITCH

C	U	P	U	M	P	K	I	N	G	S	H
H	C	T	I	W	H	A	P	O	H	H	K
A	P	R	I	E	M	U	T	S	O	C	B
L	A	N	T	E	R	N	R	Y	S	A	L
L	I	Y	W	N	E	A	E	Y	T	I	U
O	N	P	A	Y	T	R	A	P	S	V	E
W	C	I	R	C	L	E	C	R	O	V	F
E	D	T	L	H	S	E	L	D	N	A	C
E	O	B	O	S	E	A	E	I	B	S	I
N	L	O	C	B	S	E	L	P	P	A	R
M	A	S	K	D	E	A	V	A	L	S	E
G	I	R	L	M	L	R	H	A	F	I	M

62. SCARY STUFF!

Monsters, ghouls and werewolves! See if you can find them.

BEASTS
BROOMS
CREEPY
EERIE
FAIRIES
GHOULS

GOBLINS
HAUNTED
MONSTERS
SPELLS
TREATS
WEBS

WEIRD
WEREWOLF
WIZARD

R	E	W	R	F	L	O	W	E	R	E	W
M	O	E	X	A	L	E	D	E	F	T	I
O	F	B	V	I	I	D	E	C	B	S	Z
N	T	S	H	R	A	G	Y	R	C	T	A
S	E	J	D	I	D	R	H	G	I	A	R
T	B	W	S	E	H	A	U	N	T	E	D
E	C	K	S	S	S	G	H	S	H	R	R
R	R	J	H	T	X	L	V	M	A	T	A
S	L	L	E	P	S	D	U	O	R	J	A
Q	E	A	R	C	Y	A	I	O	K	F	C
Y	P	E	E	R	C	D	E	R	H	R	O
Z	X	D	T	S	N	I	L	B	O	G	O

63. SWEET TREATS

See how many things you can find in the shop.

BISCUITS
CUPCAKE
ECLAIR
FLAN
GATEAU
MALLOWS

MERINGUE
MUFFINS
PASTRIES
ROLLS
SCONE
TRIFLE

I	S	I	R	S	N	I	F	F	U	M	S
E	T	L	G	H	D	C	E	J	A	J	M
X	I	H	L	O	V	E	L	K	E	O	I
S	U	A	R	O	O	Z	Q	I	T	Y	R
S	C	O	N	E	R	R	X	J	A	C	G
E	S	U	M	M	E	R	I	N	G	U	E
I	I	N	J	A	M	T	R	F	B	P	P
R	B	P	R	L	C	R	I	A	L	C	E
T	M	A	C	L	V	I	G	H	D	A	S
S	T	E	H	O	A	F	D	W	G	K	N
A	T	E	A	W	M	L	T	E	Y	E	D
P	T	A	E	S	F	E	R	B	E	U	I

64. BAKER SHOP

How many cakes and buns can you see?

BUNS
CAKES
CHEESECAKE
COOKIES

CRUMPETS
DOUGHNUTS
GINGERBREAD
MACAROONS

PANCAKES
PIES
SHORTBREAD
TARTS

Z	S	H	O	R	T	B	R	E	A	D	A
C	P	I	E	S	B	I	R	D	J	A	C
H	A	T	D	S	D	U	T	Y	H	E	T
M	N	T	O	P	M	I	N	U	O	R	C
A	C	R	U	M	P	E	T	S	U	B	H
C	A	I	G	L	U	U	A	E	S	R	Y
A	K	C	H	S	A	T	R	I	E	E	U
R	E	L	N	O	E	W	T	K	S	G	R
O	S	D	U	S	E	K	S	O	J	N	F
O	B	E	T	I	C	E	A	O	A	I	I
N	R	I	S	C	O	N	E	C	M	G	F
S	G	E	K	A	C	E	S	E	E	H	C

65. POST OFFICE

What can you find at the post office?

ADDRESS
CARDS
DELIVER
ENVELOPES
LETTERS

MAIL
MESSAGE
NAMES
PACKAGE
PARCEL

POSTBAG
POSTBOX
STAMPS
TELEGRAMS

T	E	N	V	E	L	O	P	E	S	I	K
H	S	H	O	I	E	I	A	E	M	P	X
S	E	M	A	N	T	I	R	A	A	U	Q
A	F	M	G	H	T	I	C	A	R	D	S
D	E	L	I	V	E	R	E	D	G	S	S
W	A	R	F	L	R	B	L	B	E	T	G
S	P	M	A	T	S	E	J	R	L	E	A
T	L	O	P	I	R	N	D	E	E	D	B
H	J	E	N	B	R	D	N	N	T	O	T
O	M	E	S	S	A	G	E	B	L	E	S
R	E	G	A	K	C	A	P	I	N	K	O
F	I	F	E	V	X	O	B	T	S	O	P

66. WINTERTIME

Find the words linked to the winter season.

BLIZZARD
COLD
COSY
DECEMBER
FREEZING
FROSTY
GALES
HOLLY

ICY
RAIN
SANTA
SKATING
SKIING
SNOWMAN
STORMS
TOBOGGAN

W	I	N	S	G	N	I	Z	E	E	R	F
T	D	E	S	K	A	T	I	N	G	R	P
G	G	L	T	C	I	O	S	L	D	R	A
S	A	T	O	I	L	I	A	C	H	E	I
N	I	A	R	C	O	P	N	R	I	B	R
O	C	D	M	I	S	T	T	G	E	M	S
W	Y	T	S	O	R	F	A	S	T	E	Y
M	I	L	V	S	Z	X	Y	S	O	C	L
A	R	S	U	E	R	E	M	I	S	E	L
N	F	G	B	L	I	Z	Z	A	R	D	O
B	E	A	U	A	T	T	R	A	E	S	H
T	O	B	O	G	G	A	N	H	H	N	I

67. CLOTHES CLUES

Find the clothes hidden in the grid.

BLOUSE
CAPE
COAT
GLOVES
HAT

JACKET
JEANS
MITTS
SCARF
SHIRT

SOCKS
TIE
TIGHTS
TRAINERS

F	A	S	H	I	M	E	S	U	O	L	B
S	O	H	W	I	G	I	R	E	A	T	C
C	O	A	T	T	W	T	R	I	H	S	E
A	M	T	E	A	F	R	O	E	O	R	D
R	S	S	K	J	E	P	A	C	Q	E	C
F	A	C	C	A	T	Y	K	L	U	N	G
T	G	L	A	N	D	S	N	Z	D	I	B
G	L	O	J	E	A	N	S	Z	C	A	J
S	O	L	V	E	T	E	E	P	U	R	H
Z	V	I	R	D	S	T	H	G	I	T	O
S	E	R	V	Y	K	L	E	W	M	N	P
T	S	S	H	I	P	R	E	D	G	E	I

68. JUMBLE SALE

How many items of clothing can you find in the puzzle?

ANORAK
BLAZER
BOOTS
CAP
DRESS
HOOD
SHOES

SKIRT
SLIPPERS
SUIT
SWEATSHIRT
TROUSERS
WAISTCOAT
WELLINGTONS

S	W	E	A	T	S	H	I	R	T	F	W
S	A	V	N	I	G	H	R	E	D	A	E
S	Q	U	O	R	S	U	M	E	B	R	L
R	A	C	R	S	S	H	J	K	T	E	L
E	A	R	A	W	E	A	N	I	A	F	I
P	B	S	K	I	R	T	N	L	O	G	N
P	L	A	U	A	D	E	I	E	C	A	G
I	A	S	H	S	H	O	P	U	T	I	T
L	C	T	R	O	U	S	E	R	S	R	O
S	H	O	E	S	O	E	R	U	I	O	N
K	T	O	W	I	N	D	R	R	A	W	S
I	A	B	L	A	Z	E	R	T	W	E	D

69. 'G' WORDS

Find the words starting with the letter G.

GALAXY
GAMES
GERBIL
GIANTS
GIGGLE
GINGER

GIRAFFE
GOAT
GOSSIP
GREAT
GREEN
GREY

GRILL
GYM

E	M	P	O	C	G	R	E	E	N	G	R
L	L	I	R	G	V	E	N	S	Y	H	S
Y	E	N	J	G	A	F	U	M	P	K	C
O	B	S	E	E	Z	F	G	C	I	H	G
G	E	E	G	R	E	A	T	C	S	E	B
R	A	M	H	B	Y	R	O	A	S	D	D
A	Y	A	A	I	Y	I	T	T	O	G	G
G	I	G	G	L	E	G	I	N	G	E	R
S	O	A	V	E	A	D	X	B	E	R	E
G	I	A	N	T	S	G	A	L	A	X	Y
A	S	Q	T	I	P	A	C	E	J	C	A
A	R	V	H	G	E	H	A	W	E	H	R

70. 'H' WORDS

Find the words beginning with the letter H.

HAMBURGER   HIVE
HAPPY   HOBBY
HARVEST   HOLLY   HOROSCOPE
HAWK   HOMEWORK   HOUND
HAZEL   HONEYCOMB   HURRICANE
HELLO   HORIZON   HYENA

A	E	N	A	C	I	R	R	U	H	L	H
H	I	V	E	V	A	L	K	O	A	A	A
O	L	L	E	H	A	Z	R	E	W	N	R
R	T	H	M	A	E	D	O	S	K	E	V
O	N	H	T	Z	F	N	W	O	L	Y	E
S	D	O	S	E	P	U	E	S	L	H	S
C	C	R	U	L	E	O	M	L	P	R	T
O	R	I	G	A	M	H	O	B	B	Y	F
P	C	Z	T	O	T	H	H	O	P	P	I
E	B	O	T	I	G	S	R	I	K	P	N
H	O	N	E	Y	C	O	M	B	F	A	B
Z	I	R	E	G	R	U	B	M	A	H	E

71. SPY SEARCH

Find the spy words hidden in the grid.

ACTION   CODE
ADVENTURE   DISGUISE   MISSION
AGENT   EXCITEMENT   SECRET
CAMOUFLAGE   GADGETS   SPYGLASS
CIPHER   HIDDEN   SURVEILLANCE

S	U	R	V	E	I	L	L	A	N	C	E
P	S	S	T	E	G	D	A	G	A	O	R
Y	T	R	O	R	D	B	E	E	R	D	U
G	A	E	L	A	I	R	H	N	A	E	T
L	R	H	I	D	D	E	N	T	H	D	N
A	R	P	I	E	G	C	R	C	V	I	E
S	Y	I	S	H	O	J	N	I	A	S	V
S	E	C	R	E	T	R	O	V	E	G	D
S	R	G	M	I	S	S	I	O	N	U	A
P	U	Z	E	R	S	H	T	O	M	I	S
T	N	E	M	E	T	I	C	X	E	S	H
C	A	M	O	U	F	L	A	G	E	E	A

72. BIRDS

How many birds can you spot?

CRANE   KESTREL   PEACOCK
EAGLE   KINGFISHER   PELICAN
GOOSE   KIWI   SWAN
JAY   OSPREY   WADER

S	K	I	N	G	F	I	S	H	E	R	W
E	L	G	A	E	G	A	N	E	S	W	E
N	R	J	W	N	F	R	I	L	O	S	F
C	K	P	S	E	L	E	R	T	S	E	K
X	C	I	R	S	O	N	S	M	P	O	R
S	O	R	W	A	D	E	R	S	R	O	T
E	C	H	Q	I	H	E	I	V	E	V	A
E	A	Y	Z	E	P	E	J	A	Y	S	A
T	E	F	E	S	I	N	M	O	M	N	R
V	P	E	L	I	C	A	N	W	E	C	C
B	C	R	O	O	B	R	D	B	T	D	H
E	H	E	R	S	H	C	E	S	O	O	G

73. COLOURFUL

There are lots of colours and shades for you to find.

AZURE
BLACK
BLUE
GREEN
GREY
LILAC
MAROON
ORANGE
PINK
PURPLE
SCARLET
RED
VIOLET
WHITE
YELLOW

P	G	E	J	T	H	T	A	N	L	D	M
R	R	E	D	O	T	E	W	H	I	T	E
O	E	U	D	K	E	L	V	O	L	E	G
V	E	S	J	C	N	O	O	R	A	M	N
D	N	E	B	A	L	I	D	D	C	A	A
H	W	R	W	L	L	V	P	R	G	I	R
Z	C	U	S	B	U	F	U	K	H	H	O
Z	A	Z	D	T	O	V	R	G	O	T	S
S	C	A	R	L	E	T	P	R	T	I	D
X	F	F	E	E	U	F	L	E	S	G	E
U	C	Z	W	O	L	L	E	Y	P	H	J
J	I	I	N	H	B	U	T	T	D	E	R

74. MORE COLOURS

How many colours and shades can you find here?

AQUAMARINE   LEMON
BEIGE   LIME
BLUEBELL   ROSE
BROWN   RUBY
CREAM   SAPPHIRE
CRIMSON   SKY
EMERALD   TURQUOISE

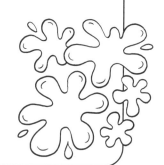

R	E	K	A	R	S	K	Y	A	T	A	E
E	M	B	L	A	R	E	B	D	I	Q	J
E	I	F	E	S	I	O	U	Q	R	U	T
L	L	E	M	O	N	D	R	D	O	A	U
B	E	I	G	E	D	L	A	R	E	M	E
L	E	E	V	X	H	J	M	S	E	A	R
U	T	T	R	E	E	U	E	V	J	R	I
E	S	M	A	E	R	C	T	J	H	I	H
B	E	O	R	S	O	G	H	K	E	N	P
E	P	N	W	O	R	B	Y	N	D	E	P
L	Y	G	C	R	I	M	S	O	N	A	A
L	B	E	F	H	E	S	K	X	R	S	S

75. MAD MATHS

Find the maths words in the puzzle.

ADD
ALGEBRA
DECIMAL
DIVIDE
EQUATION
FRACTION
HUNDRED
MULTIPLY
NUMBER
ONE
REMAINDER
SUBTRACT
SUM
TOTAL
ZERO

E	B	R	D	X	L	A	M	I	C	E	D
R	E	A	E	D	B	R	U	O	C	B	I
E	A	D	D	T	I	M	S	S	K	M	V
M	L	I	R	F	G	H	J	H	I	U	I
A	G	A	P	R	C	M	T	U	O	L	D
I	E	Q	U	A	T	I	O	N	Y	T	E
N	B	E	H	C	A	T	T	D	H	I	E
D	R	F	W	T	R	E	A	R	E	P	R
E	A	D	B	I	N	C	L	E	S	L	L
R	Z	E	R	O	L	E	R	D	C	Y	R
W	O	Z	L	N	U	M	B	E	R	L	O
A	R	D	S	U	B	T	R	A	C	T	L

76. NATURE TRAIL

Follow the nature trail and see what you can find.

BEES
CATS
COUNTRY
DESERT
FLOWERS
GLADE
GRASS
HEDGE
HONEY
MOSS
ROBIN
SEA
SUNSHINE
TREES
WASP
WATERFALL
WEATHER
WOOD

S	H	O	P	P	H	D	E	S	T	A	C
I	E	G	S	U	R	K	L	S	A	M	O
R	D	A	M	Y	G	U	L	O	W	R	U
U	W	O	O	D	R	D	A	M	D	M	N
B	E	C	S	E	A	Z	F	I	R	F	T
E	A	T	E	S	S	H	R	T	T	E	R
Y	T	R	E	E	S	S	E	O	T	D	Y
E	H	Z	G	R	R	A	T	W	B	E	R
N	E	O	D	T	B	F	A	L	M	I	A
O	R	O	G	S	R	E	W	O	L	F	N
H	E	D	G	E	X	F	E	D	A	L	G
G	E	N	I	H	S	N	U	S	O	N	E

77. 'S' WORDS

These words start with the letter S.

SATELLITE
SATURDAY
SCHOOL
SCIENCE
SECRET
SHARK
SKELETON
SORCERER
SPACE
SPIDER
SPY
STAR
SUGAR
SUN

S	A	T	E	L	L	I	T	E	V	A	R
J	O	M	Y	A	D	R	U	T	A	S	O
S	S	R	H	C	H	S	H	A	R	K	A
S	P	I	D	E	R	S	E	C	R	E	T
I	A	H	T	H	M	S	T	R	S	L	T
S	C	I	E	N	C	E	F	A	V	E	C
R	E	V	L	H	S	B	T	T	A	T	A
O	B	N	O	T	A	U	A	S	V	O	S
A	R	O	W	I	R	E	N	Z	A	N	U
S	L	D	C	D	B	A	T	S	Z	I	G
M	P	N	A	F	E	J	A	C	K	I	A
A	F	Y	G	S	O	R	C	E	R	E	R

78. 'T' WORDS

These words start with the letter T.

TABBY
TARTAN
TEA
TEDDY
THISTLE
THREE
THUNDER
TIDDLYWINKS
TIGER
TORNADO
TOYS
TREASURE
TRICK
TROLL
TROPICS
TWILIGHT
TWINKLE

E	T	I	S	T	H	T	A	R	T	A	N
T	I	D	D	L	Y	W	I	N	K	S	E
O	G	B	E	T	S	I	T	P	U	X	R
R	E	E	T	R	O	L	L	N	E	X	U
N	R	A	H	I	J	I	D	E	I	Z	S
A	E	T	U	C	O	G	R	M	R	L	A
D	Z	W	N	K	T	H	I	S	T	L	E
O	E	I	D	H	T	T	Y	W	F	E	R
S	N	N	E	G	G	D	I	B	Y	O	T
Y	A	K	R	L	D	V	M	P	B	F	T
O	I	L	A	E	S	O	W	O	O	A	F
T	D	E	T	K	S	C	I	P	O	R	T

79. SPRING

The words here are
to do with spring.

APRIL   EASTER   SEEDS
BLOSSOM   LAMBS   SHOWERS
BUDS   MARCH   SNOWDROPS
CROCUS   NEST   SPRINGTIME
DAFFODILS   PLANT   TULIP

S	P	R	I	N	G	T	I	M	E	H	S
N	T	R	R	C	S	U	C	O	R	C	L
O	I	S	B	M	A	L	H	N	C	Z	S
W	M	E	S	H	G	I	Z	I	R	C	L
D	T	E	R	S	W	P	M	S	O	T	I
R	J	D	E	M	A	R	C	H	E	H	D
O	S	S	T	S	P	R	H	O	C	O	O
P	X	E	S	D	R	S	H	W	T	R	F
S	B	D	A	U	I	T	S	E	N	E	F
S	U	Y	E	J	L	S	N	R	A	S	A
B	L	O	S	S	O	M	N	S	L	V	D
J	U	E	C	E	S	G	A	R	P	N	I

80. AUTUMN

These words are linked to autumn.

APPLES   HARVEST
AUTUMN   HAY
BALES   LEAVES
BARLEY   OCTOBER
CHESTNUTS   PLOUGHING
FOGGY   SEPTEMBER
HALLOWEEN   WHEAT

R	E	M	R	A	F	B	A	R	L	E	Y
E	L	F	W	I	A	F	P	E	G	A	Z
B	G	A	R	L	F	H	P	A	H	C	A
M	N	S	E	I	O	G	L	J	E	H	R
E	I	S	L	L	G	L	E	A	V	E	S
T	H	R	D	E	G	C	S	F	F	S	T
P	G	E	A	P	Y	R	N	T	R	T	S
E	U	B	U	O	O	Z	A	A	E	N	E
S	O	O	T	A	E	H	W	C	S	U	V
A	L	T	U	P	R	V	E	S	A	T	R
R	P	C	M	S	M	N	C	T	V	S	A
T	W	O	N	E	E	W	O	L	L	A	H

81. BIRDS

How many birds can you spot?

ALBATROSS   FALCON   PENGUIN
BUZZARD   GOLDFINCH   PETREL
CORMORANT   HERON   SWIFT
EMU   OSTRICH   WOODCOCK

A	D	R	A	Z	Z	U	B	L	U	E	T
P	P	P	G	O	L	D	F	I	N	C	H
C	L	E	M	K	C	R	A	S	I	N	M
O	S	T	R	I	C	H	L	I	U	A	S
R	E	R	O	N	P	O	C	R	K	Q	S
M	S	E	E	H	E	R	O	N	C	U	O
O	A	L	Y	M	N	W	N	G	O	I	R
R	R	O	U	K	G	O	I	F	C	P	T
A	G	L	W	O	U	W	I	G	D	P	A
N	R	D	O	R	I	F	O	R	O	Z	B
T	F	I	W	S	N	W	O	N	O	I	L
E	A	T	E	R	E	F	R	I	W	X	A

82. JEWELLERY SHOP

See what you can find hidden in the jeweller's shop.

AQUAMARINE   GARNETS
BANGLES   GOLD
BRACELET   NECKLACES
BROOCH   PIN   SILVER
CHAINS   PLATINUM   TIARA
CRYSTAL   RINGS   WATCHES

```
D I A M T N A D N E P O
W D S T E N R A G O L D
A W O R K A R T E N A D
T E L E C A R B N E T S
C T B R O O C H I V I A
H O L I G T I A R A N R
E M I N I D R E A T U C
S E L G N A B S M D M H
C R Y S T A L D A H N A
H P R E S E Z E U E S I
A S I L V E R D Q Q X N
I N S N E C K L A C E S
```

83. THE FUN of THE FAIR

Find the funfair words.

AMUSEMENTS   MIRRORS
ARCADE   MUSIC
BURGERS   POPCORN
CAROUSEL   PRIZES
COCONUTS   STALLS
DODGEMS   SWINGS
FAIRGROUND   WALTZER
FUNHOUSE

```
D O D G E M S H O W W A
N K I T L E S U O R A C
U D B U R G E R S L L T
O F C A T S A D I T T I
R U T W I W R T A T Z D
G N S E Z I R P S C E V
R H L G R N W O T I R E
I O L G H G E P D S E A
A U A M U S I C B U S X
F S T U N O C O C M O S
G E S T Z M I R R O R S
A M U S E M E N T S J G
```

84. ICE CREAM

Find the hidden ice cream words, flavours and toppings.

BANANA   NUTS
CARAMEL   PARFAIT
CHOCOLATE   POPSICLE   SYRUP
CONE   RASPBERRY   TOPPING
FUDGE   STRAWBERRY   WAFER
MINT   SUNDAE   VANILLA

```
N R T O P P I N G C E D
P U R N A A N A N A B W
O G T Z I N T L J R R S
P I N S T M S L A A X T
S Y R U P I U I C M G R
I T H N B M T N K E E A
C F U D G E I A S L E W
L I M A E L A V T R N B
E M I E W A F E R L O E
P O R H E S R C T O C R
C H O C O L A T E M N R
S G F R A S P B E R R Y
```

85. XYZ WORDS

These words start with the letters X, Y and Z.

XENON
XMAS
YACHT
YELLOW
YOYO
YULETIDE

YUMMY
ZEBRA
ZERO
ZILLION
ZIP
ZIRCON

ZODIAC
ZOMBIE
ZONE
ZOO

```
Y A C H T Z O D I A C L
U A B Z O I S Z Y R K E
L C H O R P G L O B H A
E D X M A S Y W W E E H
T C R B P G E N O Z S S
I H O I X S L I P T F N
D J K E A E L B I H F O
E I N P I Y O Y O C K Z
S O A P S U W M D R B R
N O I L L I Z M E D E I
T S E T E R R U A N E Z
E N O H P O L Y X A N R
```

86. SHIPS

Find the ships and boats hidden in the puzzle.

CANAL BOAT
CANOE
DINGHY
FERRY
GALLEON

JUNK
KETCH
SCHOONER
SHIP
SLOOP

TANKER
TRAWLER
TUG
YACHT

```
T R E K N A T A L L A C
F E R R Y Z U U Y I T A
A S H I P I S A G R C N
T C R H D E O N A C A A
E H D H J C T W L R R L
S O H X T D L E L P B B
E O D E D E A V E K C O
I N I J R H P O O L S A
M E N A U Y E G N C N T
W R G D T N O O T N O B
G R H C T E K E T I R Y
A B Y A C H T W H I Z E
```

87. WHAT'S IN THE BEDROOM?

Look for the words linked to the bedroom.

BED
CLOCK
DESK
DRESSER
GAMES
LAMP
LIGHT

MATTRESS
PICTURES
PILLOW
QUILT
SHEETS
TOYS
WARDROBE

```
E S E M A G R S N X R R
C H U I R P P A R Y E E
D E M I T L I U Q J S A
B E D A R I L Y W E S H
S T I R H G L A L O E S
N S B E N H O J M K R E
J U P I R T W L N P D R
M A T T R E S S M E O U
R U R O U I X J S A T T
S R V J Y L E K C O L C
I M A R R S Z O L R J I
W A R D R O B E H G A P
```

88. MONTHS OF THE YEAR

Find the twelve months of the year.

APRIL
AUGUST
DECEMBER
FEBRUARY
JANUARY
JULY

JUNE
MARCH
MAY
NOVEMBER
OCTOBER
SEPTEMBER

B	L	E	R	E	Y	E	T	H	E	A	R
A	D	E	C	E	M	B	E	R	S	Y	J
R	T	H	K	O	M	V	S	E	G	Y	M
M	A	R	G	G	A	B	Z	B	A	R	S
A	P	R	I	L	D	D	O	M	I	A	E
R	U	R	O	C	T	O	B	E	R	U	P
C	R	G	A	J	V	X	Z	V	R	R	T
H	T	H	U	R	D	A	U	O	Y	B	E
V	N	M	W	S	A	J	U	N	E	E	M
S	H	I	P	R	T	U	I	I	G	F	B
G	R	E	X	I	S	L	T	H	S	P	E
J	A	N	U	A	R	Y	H	C	B	G	R

89. NUMBERS

There are lots of numbers to discover.

EIGHT
ELEVEN
FIVE
FOUR
MILLION
NINE

ONE
SEVEN
SIX
TEN
THIRTEEN
THOUSAND

THREE
TWELVE
TWENTY
TWO

P	L	E	Y	M	I	L	L	I	O	N	T
R	A	E	L	E	V	E	N	E	V	E	V
B	K	E	S	W	J	E	R	U	O	F	S
E	V	L	E	W	T	E	X	T	I	I	C
T	E	Q	U	D	K	T	N	W	I	V	N
S	E	R	T	E	V	H	N	E	V	E	S
E	I	G	H	T	Z	I	M	N	D	U	J
N	X	X	R	R	N	R	C	T	I	B	N
A	T	R	E	E	R	T	I	Y	I	K	M
D	W	L	E	W	R	E	S	H	K	P	D
H	O	N	E	E	G	E	S	H	R	J	B
T	H	O	U	S	A	N	D	A	R	I	G

90. IN THE GARDEN

These things are found in the garden.

BIRDS
BUGS
FLOWERS
GRASS
HERBS
INSECTS
LAWN
LEAVES

POND
SHED
SLUGS
SNAILS
STONES
TREES
WEEDS

C	H	H	I	I	G	R	E	A	L	R	C
A	O	E	S	S	R	E	W	O	L	F	S
P	R	R	R	G	A	C	V	U	A	A	N
R	N	B	U	G	S	U	N	D	W	I	V
D	C	S	I	G	S	P	V	E	N	I	M
B	S	F	I	R	G	S	E	D	B	N	S
S	J	P	O	N	D	D	I	D	O	S	Q
L	V	I	Z	E	S	S	T	O	N	E	S
I	Z	N	H	O	U	S	R	P	C	C	O
A	A	S	M	P	N	S	E	A	I	T	R
N	E	S	S	E	V	A	E	L	T	S	D
S	G	U	L	S	E	E	S	R	Y	R	Z

91. GUY FAWKES

Remember, remember,
to find these fire words.

BONFIRE   FLAMES
DAZZLE   GLITTER   NOVEMBER
DISPLAY   GUNPOWDER   ROCKET
FIFTH   GUY   SPARKLER
FIREWORKS   NIGHT   WHIZZ

R	Y	A	L	P	S	I	D	T	O	R	F
A	E	U	Q	R	H	K	R	J	R	D	I
H	R	R	G	U	N	P	O	W	D	E	R
N	B	O	N	F	I	R	E	Q	A	I	E
S	S	C	A	R	H	E	S	J	Z	G	W
P	V	K	I	S	W	H	I	Z	Z	M	O
A	X	E	V	B	S	E	M	A	L	F	R
R	Z	T	N	O	V	E	M	B	E	R	K
K	H	H	I	V	E	N	M	W	R	D	S
L	J	P	G	L	I	T	T	E	R	E	R
E	F	T	H	G	I	N	E	W	E	D	D
R	V	H	T	F	I	F	R	J	K	R	E

92. CATS

Find the cats
in the puzzle.

CHEETAH   LYNX
COUGAR   OCELOT
JAGUAR   PANTHER   TABBY
LEOPARD   PUMA   TIGER
LION   SABRETOOTH   WILDCAT

S	A	T	I	T	A	D	A	T	T	A	R
A	L	I	O	N	L	E	O	P	A	R	D
B	S	G	S	T	A	R	U	A	C	J	K
R	R	E	R	W	R	M	O	N	D	L	I
E	N	R	A	G	A	V	A	T	L	O	T
T	J	A	G	U	A	R	O	H	I	R	V
O	Z	Z	U	A	R	B	A	E	W	D	L
O	A	R	O	V	D	J	J	R	R	C	Y
T	B	O	C	E	L	O	T	Y	V	B	N
H	O	U	S	E	E	G	R	D	B	I	X
S	C	H	E	E	T	A	H	A	A	R	T
Z	W	O	F	D	R	I	T	Y	E	V	E

93. SHOWTIME

Find the words
that are linked
to theatre shows.

ACTOR   DANCERS
AUDIENCE   ENTERTAIN
BALCONY   FOYER   SEATS
BOXES   LIGHTS   SHOW
CHORUS   MUSIC   STAGE

T	E	N	T	E	R	T	A	I	N	W	R
R	R	O	F	F	B	A	T	C	O	W	G
D	A	Z	Z	O	A	E	Q	H	A	I	D
B	I	C	X	Y	L	P	S	O	E	S	A
N	I	E	L	E	C	R	I	R	C	C	N
T	S	T	E	R	O	I	N	U	N	I	C
I	A	S	F	T	N	H	G	S	E	S	E
C	R	E	C	G	Y	T	E	Y	I	U	R
K	I	A	C	R	A	N	R	D	D	M	S
E	S	T	A	G	E	H	S	S	U	A	R
T	R	S	F	J	A	C	P	L	A	Y	A
S	T	H	G	I	L	R	E	C	S	N	M

94. VOLCANO

Find the volcanic words.

CINDER   FIRE   PLUME
CONE   FLOW   ROCKS
CRATER   HOT   SCORCH
ERUPT   LAVA   VENT
EXTINCT   MOLTEN   VOLCANO

I	M	S	C	O	R	C	H	G	O	O	L
E	M	U	L	P	T	U	R	V	E	A	Y
N	I	Z	F	J	R	T	N	E	V	I	S
O	S	L	O	I	N	C	E	A	O	S	O
C	R	A	T	E	R	I	V	E	L	V	P
R	E	A	D	R	S	E	A	M	C	C	E
A	D	T	G	U	N	E	F	O	A	N	A
H	N	B	O	P	R	O	M	L	N	K	H
O	I	S	A	T	P	R	I	T	O	Y	G
T	C	N	I	T	X	E	N	E	Q	W	R
C	N	M	D	W	X	Z	T	N	E	D	A
H	J	R	G	S	K	C	O	R	D	W	H

95. MUDDLE MIX-UP

All these words are muddled, befuddled and crazy!

G	R	E	H	E	L	D	D	U	F	E	B
P	E	R	P	L	E	X	B	R	A	E	E
G	D	E	N	E	E	Y	R	E	R	L	W
D	A	Z	Z	L	E	A	U	A	A	Z	I
E	Y	A	K	G	L	Z	F	D	W	O	L
N	D	A	F	T	D	J	F	D	A	O	D
B	R	W	H	I	D	N	L	E	Y	B	E
D	E	S	H	Y	U	R	E	L	A	M	R
C	A	L	L	E	M	W	D	T	N	A	M
N	M	L	A	A	M	D	I	T	D	B	K
S	I	R	A	C	R	C	R	A	Z	Y	J
S	C	A	T	T	E	R	B	R	A	I	N

BAMBOOZLE   DAZZLE
BEFUDDLE   MUDDLE
BEWILDER   PERPLEX
CRAZY   RATTLED
DAFT   RUFFLED
DAYDREAM   SCATTERBRAIN
DAZE   SILLY

96. REALLY BIG!

All the words here are really big.

ASTRONOMIC   MAMMOTH
BIG   MONSTER
BURLY   VAST
GIANT
GIGANTIC
GRAND
ENORMOUS
HERCULEAN
JUMBO
LARGE

H	E	R	C	U	L	E	A	N	A	N	R
Z	G	I	G	A	N	T	I	C	A	T	Y
H	R	Z	I	H	V	M	A	V	J	E	S
E	A	A	R	G	A	T	J	U	M	B	O
E	N	B	I	G	S	R	C	N	A	U	D
S	D	B	D	I	T	O	R	J	M	R	Q
R	A	M	S	A	J	V	R	G	M	L	U
I	G	M	O	N	S	T	E	R	O	Y	L
W	R	H	J	T	I	M	W	O	T	U	A
I	E	N	O	R	M	O	U	S	H	E	R
D	H	D	E	N	J	U	E	Q	U	X	G
A	S	T	R	O	N	O	M	I	C	L	E

97. GAMES

Find the game words.

BACKGAMMON   CLUEDO
BATTLESHIPS   DOMINOES
BOGGLE   LUDO   SNAP
CHECKERS   MASTERMIND   TIDDLYWINKS
CHESS   MONOPOLY   TRIVIA

B	A	C	K	G	A	M	M	O	N	S	T
A	A	R	V	A	L	O	R	J	S	I	I
T	R	A	E	E	L	N	O	R	Z	C	D
T	R	I	V	I	A	O	V	B	R	L	D
L	C	R	E	S	B	P	I	O	D	U	L
E	A	R	H	G	L	O	V	G	I	E	Y
S	N	A	P	C	V	L	S	G	P	D	W
H	F	B	H	A	R	Y	Y	L	A	O	I
I	S	E	S	R	E	K	C	E	H	C	N
P	S	T	R	O	N	S	H	E	H	G	K
S	D	N	I	M	R	E	T	S	A	M	S
G	D	O	M	I	N	O	E	S	T	D	G

98. THE ENTERTAINERS

These people entertain us.

ACROBAT   DANCER
ACTOR   DAREDEVIL
ARTIST   ILLUSIONIST
BUSKER   JUGGLER
CARTOONIST   SINGER
CLOWN   STORYTELLER

T	S	I	N	O	I	S	U	L	L	I	P
R	C	Z	R	O	T	C	A	Z	O	O	I
E	A	L	S	I	A	R	T	I	S	T	E
L	R	S	O	D	A	C	R	O	B	A	T
L	T	Q	U	W	I	D	G	N	E	R	D
E	O	E	R	Y	N	C	J	A	R	E	C
T	O	R	J	A	N	N	V	C	M	K	N
Y	N	E	R	R	E	G	N	I	S	S	C
R	I	C	O	R	R	E	L	G	G	U	J
O	S	N	L	L	S	B	M	A	S	B	N
T	T	A	S	I	D	B	G	M	I	R	C
S	I	D	A	R	E	D	E	V	I	L	N

99. YOUNG CREATURES

Can you find the young animals?

BUNNY
CALF
CHICK   JOEY
DUCKLING   KITTEN
FAWN   LAMB
FLEDGLING   OWLET
FOAL   PIGLET
              PUP

D	I	Y	E	O	J	L	H	C	B	A	R
P	E	C	E	C	N	J	I	Z	Z	D	D
M	B	K	C	I	H	C	O	R	E	U	C
N	C	N	M	U	P	K	R	P	C	C	G
S	A	W	R	E	B	W	U	A	S	K	N
E	L	R	S	H	J	P	S	B	R	L	I
D	F	A	W	N	S	I	S	M	T	I	L
T	O	N	L	R	S	G	E	A	I	N	G
B	U	N	N	Y	F	L	R	L	F	G	D
J	I	X	F	H	F	E	D	I	A	S	E
N	E	Y	J	D	R	T	E	L	W	O	L
N	E	T	T	I	K	A	R	V	J	Z	F

100. DOUBLE 'G'

Find the words with a double letter G.

BAGGAGE
CRAGGY
DOGGY
EGGS
FOGGY

GIGGLE
GOGGLES
JOGGER
LUGGAGE
NUGGET

RAGGED
RUGGED
SWAGGER
WIGGLE

```
F D E G G U R A E R O N
O R H V X B A G G A G E
G I J R C S G M G E M N
G L O W D A G R S E K T
Y G G A R C E R I G W Y
R S G J I X D B L A I F
E E E S T O O T O G G V
G D R A G Z O E V G G V
G E R G R A T G A U L M
A Y Y R A G I G G L E A
W E G J J Y H X U A H C R
S E L G G O G N H E N T
```

101. FURRY CREATURES AND HAIRY MONSTERS

BEAR
BEAVER
BUFFALO
CAT
FOX

GERBIL
GORILLA
HUSKY
LION
PANDA

POODLE
SHEEP
WALRUS
WEREWOLF
WOLFHOUND

```
T I M W O L F H O U N D
B R B O R I I G A M E S
T C M E C A P O O D L E
D H C B A T R R N J K P
P T P Z T R Y I H C D E
B E A V E R G L L S X E
U S N A S U R L A W L H
F E D L L S S A R T I S
F H A C H G X D E H B C
A E R V K O R D E L R D
L S F X F L O W E R E W
O S A H U S K Y E S G R
```

ANSWERS

1. FISHY TAILS

```
T P Y E N C Z S Q U I D
H R O A B A L O E H T L
H A D D O C K L W F F M
V W G N I R R E H C A L
S N R L O T O M E C L E
E S A L M O N E L V X R
L M M O V J D S K A T E
K O T B E O B L S E I K
C D A S C A M P I N S C
O R G T U R B O T S T A
Z S L E S S U M E I N M
F T S R E T S Y O R B D
```

3. SUPERSTARS

```
S T A R L I G H T A S C
T C G C K N V V A T T E
A E T H A M A S A S A H
R N P S T A R R Y T R A
B I A T O T F Y O A F W
U H R Z I I P Y O R L T
R S T T S S T A R D O M
S R Y H A R V E S U W O
T A P R O V I S T S E R
P T O P L A N S G T R N
C S T A R S H I P E D E
D A T E E Z A G R A T S
```

2. PUDDING PUZZLE

```
C H E E S E C A K E J A
U N L S O T N G H C K C
S E M O L I N A T I I J
T A O B F T G H R R O O
A C U A E T A G K F S
R S S C W C T S F L A N
D U S X O Z P O L A O L
E N E I E C E R E E G Y
D D P C P K E B A V E L
Z A P P Y P I E W L P L
T E A G E J T V M N E
F R M E R I N G U E W J
```

4. SPACE MISSION

```
A I A M P O T C O M E T
S U N A U R T I N O M E
A P E R O C K E T O D L
T I S S R P U C K N E E
S T A R B L A U T G H S
R E T B I A S O M S O C
G R U M T N H U S B N O
A B R K E E N M A R V P
L U N E P T U N E R E E
A U R O R A S E V Y N M
X S A T U S U N A R U E
Y T U R U N I V E R S E
```

5. MAGIC WORDSEARCH

```
P K H S L L E P S H A R
H C A U L D R O N R V Y
S I L W I S H T P P A Z
I R L O N E C G A M P
N T O A V B R O O M O U
A Z W S C E Y N Z T E M
V U E W W A R L O C K P
C R E T I N C L O A K
W E N S T W Z O O P A
A B R A C A D A B R A N
N A R C H A R M R B C L
D I S A P P E A R D D E
```

6. SCHOOL IS COOL!

```
O X C C S H T A M A R W
L C A L C U L A T O R I
D O E A R A O S S R E B
E M M S A C C S V A H L
K P A S Y K S E D R C A
R U S K O O B M N E A C
O T L N A S B N A E K
W E I A S U E B D T P
E R C H U N D Y P O O
M A N C T R A R T N O A
O L E Y U I R A T G I R
H C P L A Y G R O U N D
```

7. WHAT'S THE BUZZ?

```
R U Z I W O E L B R A W
B U Z Z E O F F R E D O
E T R G I K C A U Q A O
L C J R A A C R L T A F
A I E E M O O W F E V
O C P W L S K S Q F L E
W K R A B A W G R U N T
P L A P E S U N G H B T
Z E T U S N A R L E B R
Q U Q I P Y T O W A J O
A S N I F F T O O H O N
C H I R P F Y Q H I S S
```

8. HAUNTED HOUSE

```
G A R G O Y L E S P I E
H A P P A M S P O O K S
S O N E Y L I H P T O N
P S E R I P M A V S S M
E A Y R N T W N O S C O
C A L G H O S T S S A N
T I H L Q W O E E R S
R C K O R O E M E I V
E C E U O Q A S H B E E
S K M L W U L L K M C R
F T U S K E L E T O N S
F L O W E R E W A Z H P
```

9. TREASURE CHEST

```
D A Z Z A M E T H Y S T
R R Z A E K E G A N D U
U D I A M O N D S T O R
B R R P E L O N S N Q
Y W C K R E B M A A Q U
B C A S C O P D P D
A H N Z L G T L P N A
N L O G D J N C H E Z
G A V V S H E I P A E
L R T E L E C A R B A T
E O A J M I N T E D A J
E C A L K C E N A C G O
```

10. FAB FRUIT

```
C R O O R A N G E Y E S
H A B A N A N A A T
E S N O O R Y P N Q P
R E J O V A R B W Q P A
R S T P L U M O T T A W
Y R R E B E S O O G E B
S H R A N O M E L D N E
C A G R A P E S O F I
I W I K I R I W I R P R
F A T R A S P B E R R Y
T O C I R P A A R H A Y
D P E A C H S E T A D O
```

11. COLOUR CRAZY

```
F R O L L A V I N R A C
I J E E S W O B N I A R
R A M C S C R F T E D A
E B A Q D G E M S S E Y
W M R U C A T H U H H O
O T B A L L O O N S T N
R O L E O J R G R O O S
K M E R W T R C T H O
S A S E N H A H S U O M
R S T N I A P I E P O C
I F W H H F W L N E O N
T E S N U S F R U I T S
```

12. SWEET SHOP

```
C A N D Y B R L Y T S
A E T T E B R E H S O L
R I U Q C E K I T S L
A S G U M D R O P S L Q
M X R T A R T W O U
E F F N S E H N C P O
L G O S T H C C S S O R
S V F I S M M S S V P
I X F R S N B B W O S C
E J E G D U F O S E Z E
G U E E T A L O C O H C
M A R S H M A L L O W C
```

13. FLOWER GARDEN

```
M A R I G O L D B O R O
D C A L B A E D L R O J
V B U T T E R C U P S K
A R V T H A S T E T E S
E O Q D S T W E B I V U
P O C A L I L V E M T C
T G W A R R E L B S O
E F Y S N A P U E E R
E R P Y G O O O E I C R
W O P Z O I N M A V E
S N O W D R O P M I L Y
T M P K C O H Y L L O H
```

14. TREEHOUSE

```
T R H C R I B I S C K S
E E C H E S T N U T A T
H U H W C D C A P U R S
B O E T G P A L M K T E
I S R S R A T R W M E R
U E R R A L P O P O O I
N B Y L U H I W I H K M
L E Q U K R S A S T E A
A F I Z A A E N H M I C
W I L L O W C R H U I Y
A R L A R O Z O O L A S
A P P L E B R A E P I E
```

15. SEASHORE SEARCH

```
O S E L T S A C D N A S
S T T S W I U G A V E E
C A H U C R D A V D W A
W R E R W A V E S R S W
O F S F C R E P S U P E
T I R O C K P O O L P E
I S H O L I D O S C I D
L H I S H D T A O B S X
L F P S L K S K Y A I U
O S W I M M E R S R E T
S H E L L S F I V C S P
M A J H S I F Y L L E J
```

16. WILD WEATHER

```
H U R R I C A N E R R F
A C Y C L O N E R D T R
I S O W O R D C A S S E
L T R O R I B C V E E E
S N O W L Y B M N W R Z
T O R N A D O B C H E E
O S D E J N U H O T D N
R D B R O I H A P E N G
M B C V F W P Z I O U Z
M Y D U O L C T W I H S
I C A C G L F R O S T S
L I G H T N I N G O G G
```

17. FUNNY WORDS

```
S N I G G E R H G A G C
W A V E R C C A Y K I T
E W K A L A J O K E S E
L A U G H T E P T U U M
T I W I V B S Z L W O H
R C W G B O T Q M K R Y
A L Y G I C A R T O O N
H E N L J X D O Y R M U
C O M E D Y J J E A U P
A V L O Z Y N N U F H M
B R I D A Y L R O R F N
Y S U O I R A L I H J O
```

18. FARMYARD FUN

```
S T S C C G H E O O P V
T A H D O G S Y T T L A
I R E I W R A E S R O H
B V E T H D E K O P C A
E E P I G I R N U I N M
A V C A M O T O A R V S
R R E A X S T D F C A T
E Y S N E K C I H C S E
S S K C U D H S R O U R
O Z E H F S B M A L A M
M I C E I L A T T E Y P
P R O G G O A T S N Q M
```

19. TOYS!

```
O T A O B O O C K I B E
O R R I K N B F E E B T
R A T T L E H O U Z I T
Q U V S N O Y A R C M
S N O W B R I O X X Y O
R I A D O L L Y M K C O
S O W O N L H O P C L N
K H E I M A U W A A E E
A I O T A T S B I L B O
T M C G R A I T N T H N
E B O A P R V E T I K N
S E M A G A Z Y S K N E
```

20. GROCERY SHOP

```
I T W B I S C U I T S S
E F F O C H T K L I M
E A V I E R S W S E R A
N C G H A E U S U G A R
M S T R P P M Z I G T M
S A E E M P S Y U S I A
C D U C H E E S E X O L
S C R D H P G C A S L A
O E M A R G A R I N E D
U C R E T T U B T A G E
P Z E R G W H J L E O O
T A V B H N O C A B B A
```

21. VEGETABLE PATCH

```
J E W O R R A M H O V E
O E R T S Q U A S H I R
F S S K A L E F R E D E
E I L O C C O R B O E W
S W E D E A U O A L N O
E M G A A R W N O D J X
O E A T U R N I P C E F
T C B V L O Z O E Q I
A A B R T T K N K B X
T Q A O F F J X F B S J
O U C E K O H C I T R A
P A S T U O R P S Z X C
```

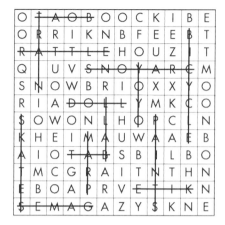

22. OCEANS AND SEAS

```
D E R A H O U B L A C K
R E F B I A T E R R T G
E C A S P I A N O C H P
F I T C P P U F W T I A
C L D J I V G L I P C
I A E K E W A K C N I
T A N T A R C T I C A F
A B T F L Q X G D M A F
D K M R Y I A A D C
R E C A R I B B E A N L
D V U G N S Z J D W L N
A T H T R O N K T I M O
```

25. BIRDS

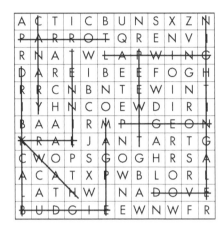

```
A C T I C B U N S X Z N
P A R R O T Q R E N V
R N A T W L A P W I N G
D A R E I B E E F O G H
R R C N B N T E W I N T
Y H N C O E W D I R
B A A R M P I G E O N
K R A J A N T A R T G
C W O P S G O G H R S A
A C A T X P W B L O R L
L A T H W N A D O V E
B U D G I E E W N W F R
```

23. WHAT'S IN THE BATHROOM?

```
T H I M B L V K N I S U
O S E L I T E W S T P Q
P U R R S H A M P O O H
H R Q U H S A P R I N T
O B W S O A P T S L G A
R H W R W A N T I E E B
D T O W E L C H I T G E
E O E D R L H A F U O L
N O A A B Y F A G H I B
T O O T H P A S T E E B
A C A T Y H O T F A U U
M I R R O R F A T B O B
```

24. WHAT'S IN THE KITCHEN?

```
R O L P C O T R I F E C
E V S T O V E E B R I I
F E K P O E E D E E A N
R P C I K N S N L E L K
I I W J E E R E A Z H A
G N P G R I L L C E O Y
E C O J P U T B K R B L
R E T S A O T O P P U S
A C S S N O T H A T I I
T V A R S S G E H E R N
O X I I P E E L T T E K
R Z E V A W O R C I M K
```

26. GO NUTS!

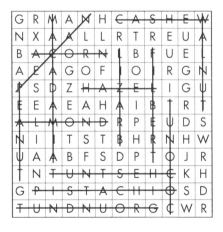

```
G R M A N H C A S H E W
N X A A L L R T R E U A
B A C O R N L B F U E L
A E A G O F I O R G N
P S D Z H A Z E L I G U
E E A E A H A I B T R
A L M O N D R P E U D S
N I I T S T B H R N H W
U A A B F S D P T O J R
T T U N T S E H C K
G P I S T A C H I O S D
T U N D N U O R G C W R
```

27. PRIVATE DETECTIVE

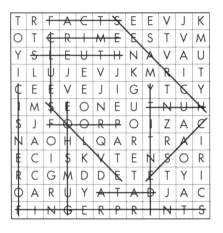

```
T R F A C T S E E V J K
O T C R I M E E S T V M
Y S L E U T H N A V A U
I L U J E V J K M R I T
C E E V E J I G Y T C Y
M S E O N E U I N U H
S J F O O R P O Z A C
N A O H L Q A R T R A I
E C I S K V T E N S O R
R C G M D D E T E T Y I
O A R U Y A T A D J A C
F I N G E R P R I N T S
```

28. ROBOTS

```
S H I S L O R T N O E S
P T E C H N O L O G Y S
D V N O U F B H E R B E
V N I M H G O H O R O C
H K H P S D T M A X R O
U W C U E C E B A R G R
M S A T D A M A R G O R P
A X M E C I T E R E U E
N I D R B J U N E I E J
O E C I T S I R U T U F
N T E L L I G E N C E
D I O R D N A S T E R Z
```

29. AROUND THE WORLD

```
S P A I N Y I N A P A J
W K I C O M M M J F M R
E E S E S O U S X E E D
D C S L P N A T I R B
E D U A L O G H P W U
N S R N A L O Y A C Z
E C M D V W E U G C A E
C H O A C A B S E I S S
N I T A L Y E E V R R C
A N D R H I T R E F R I
R A U S T R A L I A I C
F R O I L Y N A M R E G
```

30. GLOBE TROTTERS

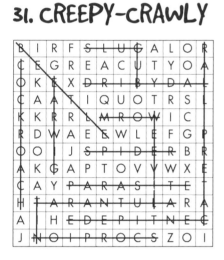

```
I A V A L L C A N A D A I
N H M E X I C O F I N U
D U Y O R Z N R O B A S
  N E K R A M N E D L T
A G K G R R E A T N R
X A R E X B W D H A E I
E R U T D F E Z A L Z A
C Y T R U E T E N T R
E P O R T U G A L     V
E Q R C V G H A F W A
R P C H O L L A N D S L
G R E E N L A N D J R O
```

31. CREEPY-CRAWLY

```
B I R F S L U G A L O R
C E G R E A C U T Y O A
O K E X D R I B Y D A L
C A A T I Q U O T R S L
K K R R L M R O W I C
R D W A E E W L E F G P
O O   J S P I D E R B R
A K G A P T O V V W X E
C A Y P A R A S I T E T
H   T A R A N T U L A R A
A   H E D E P I T N E C
J N O I P R O C S Z O I
```

32. INCREDIBLE INSECTS!

```
F I R E F L Y T H O C E
L   P R I B C Z W T A N G
E S H O R N E T R E P D
A S T I R S H J J L O I
I G M O O C W C I T N M
T P E D O P A R K V T M A
P E D O T I U Q S O M R
T E P Z O H I V S B V T
P N S S I G M T O E T O
T F A H A R L O C U S T
X L W A F R E R S L U S
I Y L F R E T T U B U H
```

33. GOBBLEDYGOOK

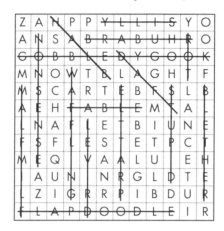

```
Z A H P P Y L L I S Y O
A N S A B R A B U H R O
G O B B L E D Y G O O K
M N O W T B L A G H T F
M S C A R T E B F S L B
A E H F A B L E M T A
  N A F L E T B I U N E
F S F L E S T E T P C T
M E Q   V A A L U   E H
  A U N   N R G L D T U
  Z I G R R P I B D U R
F L A P D O O D L E I R
```

34. MUSICAL INSTRUMENTS

```
B R I P J U S O O Z A K
A G U I T A R S R I E E
C T N A A R U O E P N Y
E R N W T L I D M I B
N I L O I V E L R W R O
O R A I T   S R O Q U A
M B A N J O O L C U O R
R E O D F L U T E O B D
A L R E F A Y R R I M R
H L U T E I T G N S A A
L S V E S H O P I E T T
O S C S E P I P G A B H
```

35. 'A' WORDS

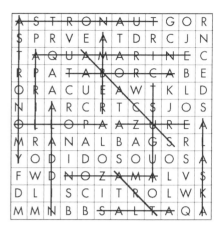

```
A S T R O N A U T G O R
S P R V E A T D R C J N
T A Q U A M A R I N E C
R P A T A B O R C A B E
O R A C U E A W K L D
O L O P A A Z U R E A
M R A N A L B A G S R
Y O D I D O S O U O S A
F W D   N O Z A M A L V S
D L   S C I T R O L W K
M M N B B S A L T A Q A
```

36. MORE 'A' WORDS

```
H E R E H P S O M T A U
A M I L K I R O S E R H
D N O M L A A R C T C
V B E W A A P P L E T O
E U A S T E R O I D H U
N Z N T M C T T A M S
T Z E I A R C A D E E R
U R S T P K O H A W T Z
R A N E R A T K I T Z
E S E I O N N O I T C A
A T O M N R U B U A S Q
A L P H A B E T K A J U
```

37. BIRTHDAYS!

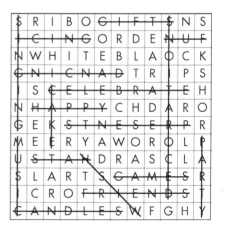

```
S R I B O G I F T S N S
I C I N G O R D E N U F
N W H I T E B L A C K
C N I C N A D T R I P S
I S C E L E B R A T E H
N H A P P Y C H D A R O
G E K S T N E S E R P R
M E F R Y A W O R O L P
U S T A H D R A S C L A
S L A R T S G A M E S R
  C R O F R I E N D S
C A N D L E S W F G H Y
```

38. DOGS

```
R E L G A E B D B P W Y
O G J A L S A T I O N O
T O N S O S S X H M W A
I E A M V H S C T E O B
W E M H H E E A M R L E
E R R I E E T S I A F S
I S E S R P O J H N H E
L A B R A D O R T I O N
E Z O L G O R M T A U I
R D D R I C R O C N N K
A R D N U H S H C A D E
A S E T T E R H A P I P
```

41. FOOTBALL CRAZY

```
R S T B S L C O R N E R
I M A E U H U E D S E
T L C W E V Z O F O U L
L M K I N E N E E R B E
I R L H T M W A R D S G
K A E I I A A R E B T A
E T F K N N S H E O T
E D T O S A E J T R
V F F K A G C I K A U O
A E A R E E R O C S N
S O C C E R B K N E A
G E K N R A S E K E Y F
```

39. MORE DOGS

```
A D O G I L E I N A P S
C A I R E D A L E I O T
D L E E A D E R S T O B
N M A V C R O I L C D B
U A U B O X E R A H L O
O T B U L L D O G I E O
H I K L S C U E H I D
Y A W H P E T U U H
E N C O E T E A C A L O
R M P U T Y K S U H A U
G E R B I E F O P U C N
N E W F O U N D L A N D
```

44. COMPUTERS

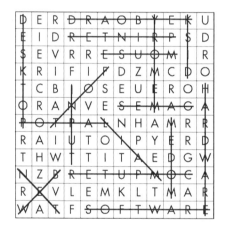

```
D E R D R A O B Y E K U
E I D R E T N I R P S D
S E V R R E S U O M R
K R I F I F D Z M C D O
T C B I O S E U E R O H
O R A N V E S E M A G A
P O T P A L N H A M R R
R A I U T O P Y E R D
N Z B R E T U P M O C A
R E V L E M K L T M A R
W A T F S O F T W A R E
```

43. CIRCUS

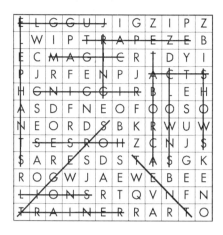

```
E L G G U J I G Z I P Z
L W I P T R A P E Z E B
E C M A G I C R T D Y I
P J R F E N P J A C T S
H G N I C C R I B L E H
A S D F N E O F O O S O
N E O R D S B K R W U W
T S E S R O H Z C N J S
A R E S D S T A S G K
R O G W J A E W E B E E
L I O N S R T Q V N F N
T R A I N E R R A R T O
```

42. COWBOY RANCH

```
R E G N A R D R H A W R
A S C A R F B R O N C O
R T R U E B E X R I O U
S E I R I A R P S E V J
T R O U G H V E E A C B
E E C A T T L E L G F E
S W O D B A V H O U S A
S E W I X O B S R E S H
O I B S V R L S P A H C
N E D A E V U P A R K N
S D Y D S L A R I A T A
J O J E L D D A S W O R
```

40. TRAIN STATION

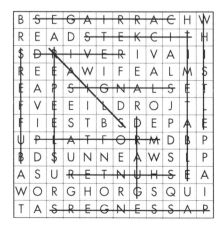

```
B S E G A I R R A C H W
R E A D S T E K C I T H
S D R I V E R I V A I I
R E E A W I F E A L M S
E A P S I G N A L S E T
F V E E I L D R O J T L
I I E S T B S D E P A E
U P L A T F O R M D B P
B D S U N N E A W S L P
A S U R E T N U H S E A
W O R G H O R G S Q U I
T A S R E G N E S S A P
```

45. STAR SIGNS

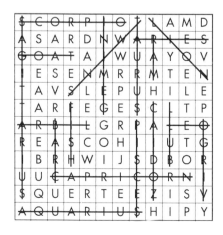

```
S C O R P I O T L A M D
A S A R D N W A R I E S
G O A T A W U A Y O V
I E S E N M R R M T E N
T A V S L E P U H I L E
A R F E G E S C L T P
A R B L G R P A T E O
R E A S C O H U T G
B R H W I J S D B O R
U C A P R I C O R N
S Q U E R T E E Z I S V
A Q U A R I U S H I P Y
```

46. HERBS AND SPICES

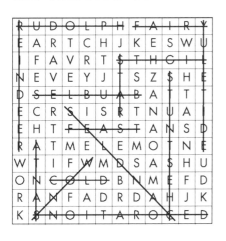

S	E	T	A	F	A	E	L	Y	A	B	L
A	M	A	R	J	O	R	A	M	C	A	R
L	Y	S	P	E	P	O	R	C	S	O	
R	H	S	A	T	M	A	N	N	H	I	S
E	T	K	I	G	M	I	X	T	E	L	E
D	O	F	E	X	E	E	M	J	R	K	M
N	R	L	E	N	N	E	F	D	V	D	A
A	J	O	E	V	A	Z	A	I	T	R	
C	I	Q	Z	P	A	R	S	L	E	Y	
R	E	D	R	L	I	F	T	E	X	E	R
O	S	T	S	A	V	O	R	Y	O	U	W
C	H	I	V	E	S	O	N	D	A	R	O

47. CHRISTMAS

S	D	R	A	C	B	T	U	R	K	E	Y
V	E	A	T	R	R	E	A	K	F	A	S
M	C	H	R	I	S	T	M	A	S	D	S
I	E	Q	E	C	E	B	D	E	R	Y	T
S	M	Y	E	R	S	C	A	R	O	L	S
T	B	J	T	I	M	H	N	A	T	D	
L	E	K	N	H	G	E	S	N	N		
E	R	K	A	S	R	M	A	E	S	M	A
T	I	L	E	P	H	N	P	S	R	W	L
O	U	Y	N	D	F	E	V	N	F	A	R
L	H	O	L	L	Y	D	Y	I	A		
E	D	H	S	T	D	B	S	T	F	I	G

48. FESTIVE FUN

R	U	D	O	L	P	H	F	A	I	R	Y
E	A	R	T	C	H	J	K	E	S	W	U
I	F	A	V	R	T	S	T	H	G	I	L
N	E	V	E	Y	J	S	Z	S	H	E	
D	S	E	L	B	U	A	B	A	T	T	
E	C	R	S	I	S	R	T	N	U	A	
E	H	T	F	E	A	S	T	A	N	S	D
R	A	T	M	E	L	E	M	O	T	N	E
W	I	F	W	M	D	S	A	S	H	U	
O	N	C	O	L	D	B	N	M	E	F	D
R	A	M	F	A	D	R	D	A	H	J	K
K	S	N	O	I	T	A	R	O	C	E	D

49. FIRE STATION

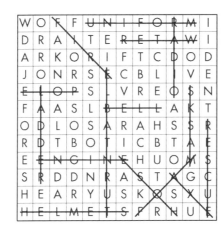

W	O	F	F	U	N	I	F	O	R	M	I
D	R	A	T	E	R	E	T	A	W	I	
A	R	K	O	R	I	F	T	C	D	O	D
J	O	N	R	S	E	C	B	L	V	E	
E	L	O	P	S	V	R	E	O	S	N	
F	A	A	S	L	B	E	L	L	A	K	T
O	D	L	O	S	A	R	A	H	S	S	R
R	D	T	B	O	T	I	C	B	T	A	E
E	E	N	G	I	N	E	H	U	O	M	S
S	R	D	D	N	R	A	S	T	Y	G	C
H	E	A	R	Y	U	S	K	O	S	Y	U
H	E	L	M	E	T	S	P	R	H	U	F

50. 'B' WORDS

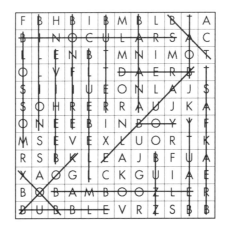

F	B	H	B	I	B	M	B	L	B	T	A
B	I	N	O	C	U	L	A	R	S	A	C
L	E	N	B	T	M	N	I	M	O	T	
O	Y	F	L	D	A	E	R	P	A	J	S
S	I	U	E	O	N	L	A	J	S		
S	O	H	R	E	R	R	A	U	J	K	A
O	N	E	E	B	I	N	B	O	Y	Y	F
M	S	E	V	E	X	L	U	O	R	T	
R	S	B	K	L	Z	A	J	B	F	U	A
X	A	O	G	L	C	K	G	U	I	A	E
B	O	B	A	M	B	O	O	Z	L	E	R
B	U	B	B	L	E	V	R	Z	S	B	B

51. PUZZLE WORDS

W	A	I	C	R	Y	P	T	I	C	R	O
O	K	E	J	C	R	U	Z	O	O	C	E
R	Y	N	A	R	A	Z	A	Q	U	I	Z
D	N	M	E	B	Z	X	G	D	G	A	
S	R	G	R	W	A	L	C	L	U	O	M
E	R	M	Y	S	T	E	R	Y	F	L	A
A	A	A	N	E	J	C	S	A	W		
R	H	Z	D	A	I	E	D	O	C	K	O
C	R	B	R	I	V	E	D	L	L	S	O
H	P	O	T	B	R	W	L	D	U	D	F
Q	U	E	O	M	I	G	E	W	E	R	I
A	S	N	O	I	T	U	L	O	S	O	H

52. COOL!

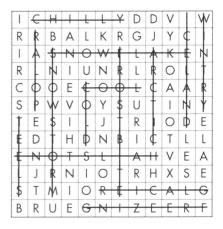

I	C	H	I	L	L	Y	D	D	V	W	
R	R	B	A	L	K	R	G	J	Y	C	
I	A	S	N	O	W	F	L	A	K	E	N
R	L	N	I	U	N	R	L	R	O	L	T
C	O	O	E	C	O	O	L	C	A	A	R
S	P	W	V	O	Y	S	U	T	I	N	Y
E	D	T	H	D	N	B	I	C	T	L	L
E	N	O	T	S	L	A	H	V	E	A	
J	R	N	I	O	T	R	H	X	S	E	
S	T	M	I	O	R	E	I	C	A	L	G
B	R	U	E	G	N	I	Z	E	E	R	F

53. IT'S A JUNGLE!

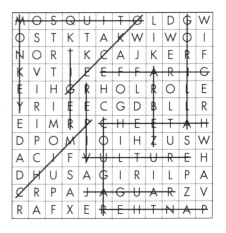

M	O	S	Q	U	I	T	O	L	D	G	W
O	S	T	K	T	A	K	W	I	W	O	I
N	O	R	T	K	C	A	J	K	E	R	F
K	V	T	I	E	F	F	A	R	I	G	
E	I	H	G	R	H	O	L	R	O	L	E
Y	R	I	E	E	C	G	D	B	L	L	R
E	I	M	R	P	C	H	E	E	T	A	H
D	P	O	M	O	I	H	Z	U	S	W	
A	C	I	F	V	U	L	T	U	R	E	H
D	H	U	S	A	G	I	R	I	L	P	A
C	R	P	A	J	A	G	U	A	R	Z	V
R	A	F	X	E	R	E	H	T	N	A	P

54. JUNGLE FUN!

```
S A N D S R U C O B R A
P I R A N H A R D A X X
I A R V A E D O N I H R
D G H H K J T C S H L O
E O A M E D B O P P I H
R R N O O Y J D I F O R
I B T N G I E I I O N O
A N E Y H L S L D C Z H
S F L J L R E E M E D E
L E O P A R D D O L L S
E M P R N I C N W O L I
M A L E L E P H A N T I G
```

57. DESERT

```
Z O N E R K R E T A W E
H A R P M I R A G E E R
$ T U A H C A C T I P D
A E Y Y L A C T I R G U
N R Q U E M S D A M O N
D A T E S E S S I N A E
S H D N V L N D H J T S
T E B D E S E R T N S T
O A S I S A H A R A O R
R T T R S C E Z A H S I
M R S C O R P I O N S I
H A W T R I X L F I N G
```

59. PIZZA PICK

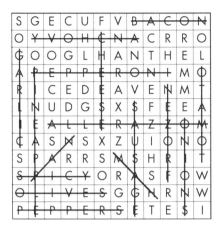

```
S G E C U F V B A C O N
O Y V O H C N A C R R O
G O O G L H A N T H E L
A P E P P E R O N I M O
R I C E D E A V E N M T
L N U D G S X S F E E A
I E A L L E R A Z Z O M
C A S M S X Z U I O N O
S P A R R S M S H R I T
S I C Y O R A S F O W
O L I V E S G G H R N W
P E P P E R S E T E S I
```

55. 'C' WORDS

```
S A F E T A L O C O H C
L N C I N D E R E L L A
A C A A H O U S E E R L
V S P O R C I N E M A C
I T A E T T A K T A C U
N T V O A H O E S R E L
R J A T C M M O A A Y A
A N N E H O S R N C A T
C A N D O L K U A Q C O
D Y R R E H C U P H Q R
C C A L E N D A R R C S
D T E F A C S T O T Y F
```

58. BIRDS

```
G E T A W A F R O B I N
R O O K F F E R S W E Z
A M T R O R S E T O K I
V R E O E E R U T L U V
E L Q T T N H X N L I P
N I U S Y K I E C A B M
A N D J A C K D A W O T
V S U Y R E L E S S I
A E C C W O K U S T O P
L P K R E W O R R A P S
O O R T I N I R A S R Y
O G N I M A L F L U P T
```

60. SUMMER

```
E V A W T A E H $ G O O
D E L O V I R S W A R M
X G C D J U N E I S T
E U S N A L V N M A R D
S Y N A R Y O R M D U S
S A A S P I C N I C S U
A D L J H K O P N V U M
L R H A I N G U M M
G L D T P B N E A R S E
N O O C P L E E T H V R
U H R D Y Y O G M I S S
S U M M E R T I M E T
```

56. 'D' WORDS

```
S E L Z Z A D F R E S I
E S V D E C E M B E R F
C T R O I R S U D H U R
R G A O D A S P D O A O
E G R A D E O A U D S G
D N D L D A R K R R O H
A I C E F G T G J S N E
W Y E M D Y N A M I C
S A L L P P A A L E D N
Y R A D I L S L V T A
S D A N D E L I O N F D
W I D H G E O N D U C K
```

61. HALLOWEEN

```
C U P U M P K I N G S H
H C T I W H A P O H H K
A P R I E M U T S O C B
L A N T E R N R Y S A L
L I Y W N E A E Y X I
O N P A Y T R A P S V E
W C I R C L E C R O V F
E D T H S E D N A C
E O B O S E A E I B S I
N L O C S E L P P A R
M A S K D E A V A L S E
G I R L M L R H A F I M
```

62. SCARY STUFF!

```
R E W R F L O W E R E W
M O E X A L E D E F T A
O F B V I D E C B S Z
N T S H R A G Y R C T A
S E J D D R H G I A R
T B W S E H A U N T E D
E C K S S S G H S H R R
R R J H T X L V M A T A
S L L E P S D U O R J A
Q E A R C Y A I O K F C
Y P E E R C D E R H R O
Z X D T S N I L B O G O
```

63. SWEET TREATS

```
I S I R S N I F F U M S
E T L G H D C E J A J M
X H L O V E L K E O I
S U A R O O Z Q I T Y R
S C O N E R R X J A C G
E S U M M E R I N G U E
I N J A M T R E B P P
R B P R L C R I A L C E
T M A C L V G H D A S
S T E H O A D W G K N
A T E A W M L T E Y E D
P T A E S F E R B E U I
```

64. BAKER SHOP

```
Z S H O R T B R E A D A
C P I E S B I R D J A C
H A T D S D U T Y H E T
M N T O P M I N U O R C
A C R U M P E T S U B H
C A I G L U U A E S R Y
A K C H S A T R E E U
R E L N O E W T K S G R
O S D U S E K S O J N F
O B E T I C E A O A I
N R I S C O N E C M G F
S G E K A C E S E E H C
```

65. POST OFFICE

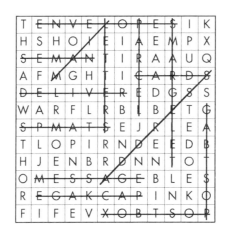

```
T E N V E L O P E S I K
H S H O T E I A E M P X
S E M A N T I R A A U Q
A F M G H T I C A R D S
D E L I V E R E D G S S
W A R F L R B I B T G
S P M A T S E J R L E A
T L O P I R N D E E D S
H J E N B R D N N T O T
O M E S S A G E B L E S
R E G A K C A P I N K O
F I F E V X O B T S O P
```

66. WINTERTIME

```
W I N S G N I Z E E R F
T D E S K A T I N G R P
G G L T C I O S L D R A
S A T O I L I A C H E I
N I A R C O P H R I B R
O C D M I S T T G E M S
W Y T S O R F A S T E Y
M I L V S Z X Y S O C L
A R S U E R E M I S E
N F G B L I Z Z A R D O
B E A U A T T R A E S H
T O B O G G A N H H N I
```

67. CLOTHES CLUES

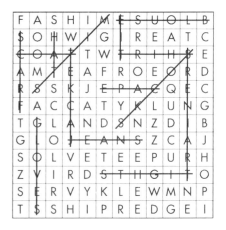

```
F A S H I M E S U O L B
S O H W I G I R E A T C
C O A T T W F R I H E
A M T E A F R O E O R D
R S K J E P A C Q E C
F A C C A T Y K L U N G
T G L A N D S N Z D B
G L O J E A N S Z C A J
S O L V E T E E P U R H
Z V I R D S T H G I T O
S E R V Y K L E W M N P
T S S H I P R E D G E I
```

68. JUMBLE SALE

```
S W E A T S H I R T F W
S A V N I G H R E D A E
S Q U O R S U M E B R L
R A C R S S H J K T E L
E A R A W E A N I A F I
P B S K I R T N L O G N
P L A U A D E L E C A G
I A S H S H O P U T I T
L C T R O U S E R S R O
S H O E S Q E R U O N
K T O W I N D R R A W S
I A B L A Z E R T W E D
```

69. 'G' WORDS

```
E M P O C G R E E N O R
L L I R G V E N S Y H S
Y E N J G A F U M P K C
O B S E E Z E C H G
G E E G R E A T C S E B
R A M H B Y R O A S D D
A Y A A I T T O G G
G I G G L E G I N G E R
S O A V E A D X B E R E
G I A N T S G A L A X Y
A S Q T I P A C E J C A
A R V H G E H A W E H R
```

70. 'H' WORDS

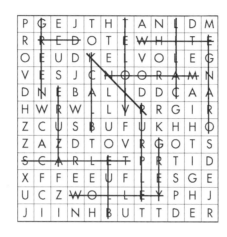

```
A E N A C I R R U H L H
H I V E V A L K O A A A
O L L E H A Z R E W N R
R T H M A E D O S K E Y
O N H T Z F N W O L Y S
S D O S E P U E S L H S
C C R U L E O M L P R T
O R I G A M H O B B Y F
P C Z T O T H H O P P I
E B O T I G S R I K P N
H O N E Y C O M B F A B
Z I R E G R U B M A H E
```

71. SPY SEARCH

```
S U R V E I L L A N C E
P S S T E G D A G A O R
Y T R O R D B E E R D U
G A E L A I R H N A E T
L R H I D D E N T H D N
A R P I E G C R C V I E
S Y I S H O J N I A S Y
S E C R E T R O V E G D
S R G M I S S I O N U A
P U Z E R S H T O M I S
T N E M E T I C X E S H
C A M O U F L A G E E A
```

72. BIRDS

```
S K I N G F I S H E R W
E L G A E G A N E S W E
N R J W N F R I L O S F
C K P S E L E R T S E K
X C R S O N S M P O R
S O R W A D E R S R O T
E C H Q H E I V E V A
E A Y Z E P E J A Y S A
T E F E S I N M O M N R
P E L I C A N W E C C
B C R O O B R D B T D H
E H E R S H C E S O O G
```

73. COLOURFUL

```
P G E J T H I A N L D M
R R E D O T E W H I T E
O E U D K E L V O L E G
D N E B A L D D C A M N
H W R W L L Y R R G I R
Z C U S B U F U K H H O
Z A Z D T O V R G O T S
S C A R L E T P R T I D
X F F E E U F L E S G E
U C Z W O L L E Y P H J
J I I N H B U T T D E R
```

74. MORE COLOURS

```
R E K A R S K Y A T A E
E M B L A R E B D I Q J
E I F E S I O U Q R U T
L L E M O N D R D O A U
B E I G E D L A R E M E
L E E V X H J M S E A R
U T T R E E U E V J R I
E S M A E R C T J H H
B E O R S O G H K E N P
E P N W O R B Y N D E P
L Y G C R I M S O N A A
B E F H E S K X R S S
```

75. MAD MATHS

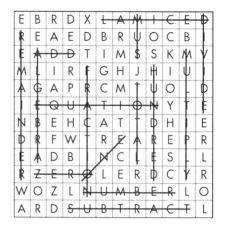

```
E B R D X L A M I C E D
R E A E D B R U O C B
E A D D T I M S S K M Y
M L I R F G H J H I U
A G A P R C M T U O L D
N E Q U A T I O N Y T E
B E H C A T D H I E
D R F W T R E A R E P R
E A D B N C L E S L
R Z E R O L E R D C Y R
W O Z L N U M B E R L O
A R D S U B T R A C T L
```

76. NATURE TRAIL

```
S H O P P H D E S T A C
I E G S U R K L S A M O
R D A M Y G U L O W R U
U W O O D R D A M D M N
B E C S E A Z F I R F T
E A T E S S H R T T E R
Y T R E E S S E O T D Y
E H Z G R R A T W B E R
N E O D T B F A L M I A
O R O G S R E W O L F N
H E D G E X F E D A L G
G E N I H S N U S O N E
```

77. 'S' WORDS

```
S A T E L L I T E V A R
J O M Y A D R U T A S O
S S R H C H S H A R K A
S P I D E R S E C R E T
I A H T H M S T R S L T
S C I E N C E F A V E C
R E V L H S B T T A T A
O B N O T A U A S V O S
A R O W I R E N Z A N U
S L D C D B A T S Z I G
M R N A F E J A C K I A
A F Y G S O R C E R E R
```

78. 'T' WORDS

```
E  I  S  T  H  T  A  R  T  A  N
T  D  D  L  Y  W  I  N  K  S  E
O  G  B  E  S  T  P  U  X  R  R
R  E  E  T  R  O  L  L  N  E  X  U
N  R  A  H  J  J  D  E  I  Z  S
A  E  T  U  C  O  G  R  M  R  L  A
D  Z  W  N  K  T  H  I  S  T  L  E
O  E  D  H  T  T  W  F  E  R
S  N  N  E  G  G  D  I  B  Y  O  T
Y  A  K  R  L  D  V  M  P  B  F  T
O  I  L  A  E  S  O  W  O  O  A  F
T  D  E  T  K  S  C  I  P  O  R  T
```

79. SPRING

```
S  P  R  I  N  G  T  I  M  E  H  S
N  T  R  R  C  S  U  C  O  R  C  L
O  I  S  B  M  A  L  H  N  C  Z  S
W  M  E  S  H  G  Z  I  R  C  L
D  T  E  R  S  W  P  M  S  O  T
R  J  D  E  M  A  R  C  H  E  H  D
O  S  S  T  S  P  R  H  O  C  O  O
P  X  E  S  D  R  S  H  W  T  R  O
S  B  D  A  U  T  S  E  N  E  F
S  U  Y  E  J  S  N  R  A  S  A
B  L  O  S  S  O  M  N  S  A  T  D
J  U  E  C  E  S  G  A  R  P  N  I
```

80. AUTUMN

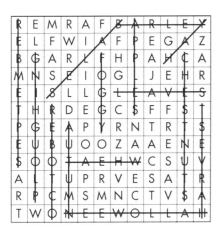

```
R  E  M  R  A  F  B  A  R  L  E  Y
E  L  F  W  I  A  F  P  E  G  A  Z
B  C  A  R  L  F  H  P  A  H  C  A
M  N  S  E  I  O  G  L  J  E  H  R
E  I  S  L  L  G  L  E  A  V  E  S
T  H  R  D  E  G  C  S  F  F  S
P  G  E  A  P  Y  R  N  T  R  T  S
E  U  B  U  O  O  Z  A  A  E  N  E
S  O  O  T  A  E  H  W  C  S  U  V
A  L  T  U  P  R  V  E  S  A  T  R
R  P  C  M  S  M  N  C  T  V  S  A
T  W  O  N  E  E  W  O  L  L  A  H
```

81. BIRDS

```
A  D  R  A  Z  Z  U  B  L  U  E  T
P  P  P  G  O  L  D  F  I  N  C  H
C  L  E  M  K  C  R  A  S  I  N  M
O  S  T  R  I  C  H  L  I  U  A  S
R  E  R  O  N  P  O  C  R  K  Q  S
M  S  E  E  H  H  R  O  N  C  U  O
O  A  L  Y  M  N  W  N  G  O  I  R
R  R  O  U  K  G  O  I  F  C  P
A  G  L  W  O  U  U  W  I  G  D  P  A
N  R  D  O  R  F  O  R  O  Z  B
T  F  I  W  S  N  W  O  N  O  I  L
E  A  T  E  R  E  F  R  I  W  X  A
```

82. JEWELLERY SHOP

```
D  I  A  M  T  N  A  D  N  E  P  O
W  D  S  T  E  N  R  A  G  O  L  D
A  W  O  R  K  A  R  T  E  N  A  D
T  E  L  E  C  A  R  B  N  E  T  S
C  T  B  R  O  O  C  H  I  V  A
H  O  L  I  G  T  I  A  R  A  N
E  M  I  N  I  D  R  E  A  T  U  C
S  E  L  G  N  A  B  S  M  D  M  H
C  R  Y  S  T  A  L  D  A  H  N  A
H  R  R  E  S  E  Z  E  U  E  S  I
A  S  I  L  V  E  R  D  Q  Q  X  N
I  N  S  N  E  C  K  L  A  C  E  S
```

83. THE FUN OF THE FAIR

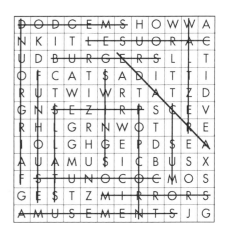

```
D  O  D  G  E  M  S  H  O  W  W  A
N  K  I  T  L  E  S  U  O  R  A  C
U  D  B  U  R  G  E  R  S  L  L  T
O  F  C  A  T  S  A  D  I  T  T  I
R  U  T  W  I  W  R  T  A  T  Z  D
G  N  S  E  Z  R  P  S  C  E
R  H  L  G  R  N  W  O  T  R  E
I  O  L  G  H  G  E  P  D  S  E  A
A  U  A  M  U  S  I  C  B  U  S  X
U  S  T  U  N  O  C  O  C  M  O  S
G  E  S  T  Z  M  I  R  R  O  R  S
A  M  U  S  E  M  E  N  T  S  J  G
```

84. ICE CREAM

```
N  R  T  O  P  P  I  N  G  C  E  D
P  U  R  N  A  A  N  A  N  A  B  W
O  G  T  Z  I  N  T  L  J  R  R  S
P  I  N  S  T  M  S  L  A  A  X
S  Y  R  U  P  I  U  I  C  M  G  R
I  T  H  N  B  M  I  N  K  E  E  A
C  F  U  D  G  E  I  A  S  L  E  W
L  I  M  A  E  L  A  V  T  R  N  B
E  M  I  E  W  A  F  E  R  L  O  E
P  O  R  H  E  S  R  C  T  O  C  R
C  H  O  C  O  L  A  T  E  M  N  R
S  G  F  R  A  S  P  B  E  R  R  Y
```

85. XYZ WORDS

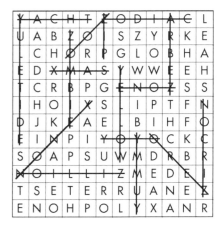

```
Y  A  C  H  T  Z  O  D  I  A  C  L
U  A  B  Z  O  S  Z  Y  R  K  E
L  C  H  O  R  P  G  L  O  B  H  A
E  D  X  M  A  S  Y  W  W  E  E  H
T  C  R  B  P  G  E  N  O  Z  S  S
I  H  O  Y  X  S  L  I  P  T  F  N
D  J  K  E  A  E  L  B  I  H  F  O
E  I  N  P  I  Y  O  Y  O  C  K  C
S  O  A  P  S  U  W  M  D  R  B  R
X  O  I  L  L  I  Z  M  E  D  E
T  S  E  T  E  R  R  U  A  N  E  X
E  N  O  H  P  O  L  Y  X  A  N  R
```

86. SHIPS

```
T R E K N A T A L L A C
F E R R Y Z U U Y I T A
A S H I P I S A G R C N
T C R H D E O N A C A A
E H D H J C T W L R R B
S O H X T D L E L P B B
E O D E D E A V E K C O
I N U Y R H P O O L S A
M E N A U Y E G N C N T
W R G D T N O O T N O B
G R H C T E K E T I R Y
A B Y A C H T W H I Z E
```

87. WHAT'S IN THE BEDROOM?

```
E S E M A G R S N X R R
C H U I R P P A R Y E E
D E M I T L I U Q J S A
B E D A R Y W E S H
S T I R H G L A L O E S
N S B E N H O J M K R E
J U P I R T W L N P D R
M A T T R E S S M E O U
R U R Q U I X J S A T T
S R V J Y L E K C O L C
I M A R R S Z O L R J
W A R D R O B E H G A P
```

88. MONTHS OF THE YEAR

```
B L E R E Y E T H E A R
A D E C E M B E R S Y J
R T H K O M V S E G Y M
M A R G G A B Z B A R S
A P R I L D D O M I A E
R U R O C T O B E R U P
C R G A J V X Z Y R R T
H T H U R D A U O Y B E
V N M W S A J U N E E M
S H I P R T U I I G F B
G R E X I S L T H S P E
J A N U A R Y H C B G R
```

89. NUMBERS

```
P L E Y M I L L I O N T
R A E L E V E N E V E V
B K E S W J E R U O F S
E V L E W T E X I I C
T E Q U D K I N W I V N
S E R T E V H N E V E S
E I G H T Z M N D U J
N X X R R N R C I B N
A T R E E R T Y I K M
D W L E W R E S H K P D
H O N E E G E S H R J B
T H O U S A N D A R I G
```

90. IN THE GARDEN

```
C H I I G R E A L R C
A O E S S R E W O L F S
P R R R G A C V U A A N
R N B U G S U N D W I V
D C S I G S P V E N I I
B S F I R G S E D B N S
S J P O N D I D O S Q
L V I Z E S S T O N E S
I Z N H O U S R P C C O
A A S M P N S E A I T R
N E S S E V A E L T S
S C U L S E E S R Y R Z
```

91. GUY FAWKES

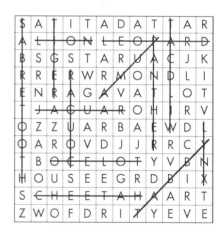

```
R X A L P S I D T O R F
A E U Q R H K R J R D
H R R G U N P O W D E R
N B O N F I R E Q A I E
S S C A R H E S J Z G W
P V K I S W H I Z Z M O
A X E V B S E M A F R
R Z T N O V E M B E R K
K H H V E N M W R D S
L J P G L I T T E R E R
E F T H G I N E W E D D
R V H T F I F R J K R E
```

92. CATS

```
S A T I T A D A T I A R
A L T O N L E O P A R D
B S G S T A R U A C J K
R R E R W R M O N D L I
E N R A G A V A T L O T
J A G U A R O H I R V
O Z Z U A R B A E W D L
O A R O V D J J R R C Y
T B O C E L O T Y V B N
H O U S E E G R D B I X
S C H E E T A H A A R T
Z W O F D R I Y Y E V E
```

93. SHOWTIME

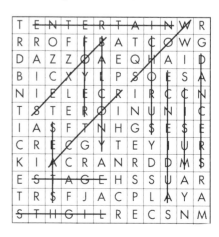

```
T E N T E R T A I N W R
R R O F F A T C O W G
D A Z Z O A E Q H A I D
B I C X Y L P S O E S A
N I E L E C R I R C C N
T S T E R O I N U N I C
I A S F T N H G S E S E
C R E C G Y T E Y I U R
K I A C R A N R D D M S
E S T A G E H S S U A R
T R S F J A C P L A Y A
S T H G I L R E C S N M
```

94. VOLCANO

```
I M S C O R C H G O O L
E M U L P T U R V E A Y
N I Z F J R T N E V I S
O S L O I N C E A O S O
C R A T E R I V E L V P
R E A D R S E A M C C E
A D T G U N E T O A N A
H N B O P R O M N K H
O I S A T P R I T O Y G
T C N I T X E N E Q W R
C N M D W X Z T N E D A
H J R G S K C O R D W H
```

97. GAMES

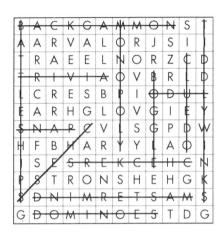

```
B A C K G A M M O N S T
A A R V A L O R J S I
T R A E E L N O R Z C D
T R I V I A O V B R L D
L C R E S B P I O D U T
E A R H G L O V G I E Y
S N A P C V L S G P D W
H F B H A R Y Y L A O
S E S R E K C E H C N
P S T R O N S H E H G K
S D N I M R E T S A M S
G D O M I N O E S T D G
```

95. MUDDLE MIX-UP

```
G R E H E L D D U F E B
P E R P L E X B R A E E
G D E N E Y R E R L W
D A Z Z L E A U A A Z I
E Y A K G L Z F D W O L
N B A F T D J F D A O D
B R W H I D N L E Y B E
D E S H Y U R E L A M R
C A L L E M W D T N A M
N M L A A M D I T D B K
S Y R A C R C R A Z Y J
S C A T T E R B R A I N
```

96. REALLY BIG!

```
H E R C U L E A N A N R
Z G I G A N T I C A T Y
H R Z I H V M A V J E S
E A A R G A T J U M B O
E N B I G S R C N A U D
S D B D I T O R J M R Q
R A M S A J V R G M L U
I G M O N S T E R O Y L
W R H J T I M W O T U A
I E N O R M O U S H E R
D H D E N J U E Q U X G
A S T R O N O M I C L E
```

98. THE ENTERTAINERS

```
T S I N O I S U L L I P
R Z R O T C A Z O O I
E A L S I A R T I S T E
L R S Q D A C R O B A T
I T Q U W I D G N E R D
E O E R Y N C J A R E C
T O R J A N N V C M K N
Y N E R R E G N I S S C
R O R C O R R E L G G U J
O S N L L S B M A S B
T T A S I D B G M I R C
S I D A R E D E V I L N
```

99. YOUNG CREATURES

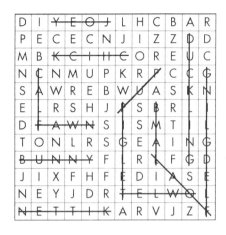

```
D I Y E O J L H C B A R
P E C E C N J I Z Z D D
M B K C I H C O R E U C
N C N M U P K R C C G
S A W R E B W U A S K N
E L R S H J S B R L
D F A W N S S M T L
T O N L R S G E A I N G
B U N N Y F L R G F D
J I X F H F E D I A S E
N E Y J D R T E L W O
N E T T I K A R V J Z R
```

100. DOUBLE 'G'

```
F D E G G U R A E R O N
O R H V X B A G G A G E
G I J R C S G M G E M N
G L O W D A G R S E K T
Y G G A R C E R I G W Y
R S G J I X D B L A F
E E S T O O T O G G V
G D R A G Z O E V G G V
G E R G R A T G A U L M
A Y Y R A G I G G L E A
W E G J Y H X U A H C R
S E L G G O G N H E N T
```

101. FURRY CREATURES AND HAIRY MONSTERS

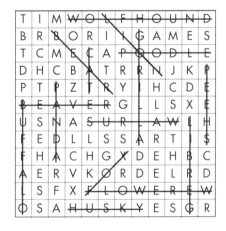

```
T I M W O L F H O U N D
B R B O R I G A M E S
T C M E C A P O O D L E
D H C B A T R R N J K P
P T P Z T R Y H C D E
B E A V E R G L S A R
U S N A S U R L A W H H
F E D L L S S A R T S
F H A C H G Y D E H B C
A E R V K O R D E L R D
L S F X F L O W E R W
O S A H U S K Y E S G R
```